Rudolf Sachs

# Deutsche Handelskorrespondenz

Neubearbeitung

Rudolf Sachs

# Deutsche Handelskorrespondenz

## Der Briefwechsel in Export und Import

### Neubearbeitung

Max Hueber Verlag

3. 2. 1. | Die letzten Ziffern
1998 97 96 95 94 | bezeichnen Zahl und Jahr des Druckes.
Alle Drucke dieser Auflage können, da unverändert,
nebeneinander benutzt werden.
2., bearbeitete und ergänzte Auflage 1994

Verlagsredaktion: Rolf Brüseke
Zeichnungen: Ernst Hürlimann
Druck: Manz AG, Dillingen
Printed in Germany
ISBN 3-19-001497-3

# Vorwort



Die Form des deutschen Geschäftsbriefs hat sich seit Erscheinen der ersten Auflage der „Deutschen Handelskorrespondenz" im Jahre 1969 in vielen Punkten geändert. Der europäische Markt wächst zu einem Binnenmarkt zusammen, die politische und wirtschaftliche Öffnung des Ostens verspricht eine Intensivierung der Handelsbeziehungen mit diesen Ländern, und der Handel mit der übrigen Welt nimmt weiter an Bedeutung zu. Außerdem bieten sich durch die rasche technische Entwicklung immer wieder neue Möglichkeiten im Kommunikationsbereich.

Diese Entwicklungen wurden bei der Neubearbeitung berücksichtigt. Das in neuer, vollständig überarbeiteter Form vorgelegte Buch wendet sich in erster Linie an kaufmännisch interessierte Ausländer mit entsprechenden Vorkenntnissen in der deutschen Sprache, die ein solides Grundwissen im Bereich der schriftlichen Kommunikation erwerben möchten.
Daneben dürfte es aber auch im Inland Interesse finden, zumal es sich nicht auf die reine Korrespondenz beschränkt, sondern auch kaufmännische Kenntnisse, besonders im Bereich des Außenhandels, vermittelt. Von besonderer Bedeutung ist hier das Kleine Fachwörterlexikon, das Erklärungen zu allen im Buch verwendeten erklärungsbedürftigen Fachbegriffen sowie Muster von Formularen und Dokumenten enthält.

Das Buch besteht aus vier Teilen:
1. einem kurzen Überblick über die Methoden der modernen schriftlichen Kommunikation,
2. dem eigentlichen Kern des Buches, bestehend aus einer Einführung in die äußere Form des deutschen Geschäftsbriefs und 16 Korrespondenzkapiteln, in denen die bei Außenhandelsgeschäften am häufigsten vorkommenden Briefarten dargestellt werden,
3. dem oben erwähnten Kleinen Fachwörterlexikon und
4. einem alphabetischen Wörterverzeichnis (deutsch – englisch – französisch – italienisch – spanisch), das den gesamten im Buch enthaltenen fachbezogenen Wortschatz, vor allem die kaufmännisch-wirtschaftlichen, handelsrechtlichen und technischen Begriffe umfaßt.

Jedes Korrespondenzkapitel gliedert sich wiederum in vier Teile:
1. Einleitung, in der die betreffende Briefart vorgestellt wird und handelstechnische sowie handelsrechtliche Hinweise (unter Zugrundelegung des deutschen Handelsrechts) gegeben werden,
2. Musterbriefe (darunter Muster auf Briefblatt-Vordruck, Fernschreiben und Fax-Mitteilungen),
3. Briefbausteine (siehe Methoden der modernen schriftlichen Kommunikation),
4. Übungen zur Erstellung deutscher Briefe nach Angaben (darunter auch Stichwortangaben). Die Abwicklung von Außenhandelsgeschäften wird anhand von sechs Briefreihen dargestellt, von denen drei den normalen und drei den gestörten Ablauf eines Geschäfts behandeln. Die Briefe des deutschen Geschäftspartners dienen dabei als Muster, die Briefe des ausländischen Geschäftspartners sind nach Angaben zu entwerfen.

Der Autor bedankt sich bei den folgenden Firmen, die ihm Material für das Buch zur Verfügung gestellt haben:

Friedrich Deckel AG, München;

Hammer & Söhne GmbH & Co., Pforzheim;

Max Hueber Verlag, Ismaning;

F. Ludwig Kübler, München;

Deutsche Lufthansa AG, Köln;

Gebr. Märklin & Cie. GmbH, Göppingen;

Menzell & Co., Schiffsmakler, Hamburg;

F.X. Nachtmann Bleikristallwerke GmbH, Neustadt a.d. Waldnaab;

Nixdorf Computer, München;

Siemens AG, München;

Süd-Chemie AG, München;

Bayerische Vereinsbank AG, München.

Sein besonderer Dank gilt Ernst Hürlimann, der die Zeichnungen in diesem Buch angefertigt hat, Herrn Peter F.W. Hartmann (Zeichnungen, S. 65) sowie den Kolleginnen und Kollegen, die ihm bei der Erstellung des Wörterverzeichnisses geholfen haben:

Rosa Madelaine Evans (Französisch)
Ursula Guidi und Dott. Gualtiero Guidi (Italienisch)
Celestino Sánchez López (Spanisch)

(Der englische Teil wurde vom Verfasser selbst bearbeitet.)

Nicht zuletzt schuldet der Autor dem Lektor des Max Hueber Verlags, Rolf Brüseke, Dank für vielerlei praktische Hilfe bei der Durchführung des Projekts.

Rudolf Sachs

# Inhaltsverzeichnis

## Methoden der modernen schriftlichen Kommunikation

Die schriftliche Kommunikation in der kaufmännischen Praxis umfaßt den Austausch von Briefen, Fernschreiben, Berichten usw. Mündliche oder fernmündliche (telefonische) Willenserklärungen und Abmachungen bedürfen meist der schriftlichen Bestätigung, da sonst kein Beweismittel vorhanden ist.

Die Konzipierung von Mitteilungen ist ein Vorgang, der sich im menschlichen Gehirn abspielt. Der Verfasser muß sich überlegen, was er sagen will, und die Punkte, die er ansprechen möchte, in die richtige Reihenfolge bringen. Sobald das Grundkonzept der Mitteilung feststeht, kann der Verfasser daran gehen, diese zu erstellen, indem er sie entweder selbst schreibt oder diktiert (einer Schreibkraft oder in ein Diktiergerät). Das Steno- oder Maschinendiktat wird anschließend auf einer Schreibmaschine oder einem anderen Schreibgerät übertragen. Die fertige Mitteilung geht dem Empfänger dann mit der Post zu oder wird ihm auf andere Weise übermittelt.

Die Geräte, die für die schriftliche Kommunikation zur Verfügung stehen, lassen sich in drei Gruppen einteilen:

1. Geräte, die der Erstellung von Mitteilungen dienen
2. Geräte, mit denen man Mitteilungen erstellen und übermitteln kann
3. Geräte, die nur für die Übermittlung eingesetzt werden

Zur ersten Gruppe gehören die Schreibmaschinen sowie Textcomputer und Personal-Computer (PCs). Die mechanischen Schreibmaschinen sind weitgehend durch elektrische und *elektronische Schreibmaschinen* ersetzt worden. Letztere haben ein Anzeigefeld (Display) und einen Speicher; sie können auch mit einem Bildschirm ausgerüstet sein. Von der Speicherschreibmaschine mit Bildschirm ist es nur noch ein kleiner Schritt zum *Textcomputer,* mit dem allerdings nur Textverarbeitung möglich ist. Vielseitiger verwendbar sind die *Personal-Computer,* die sowohl mit einem Textverarbeitungsprogramm als auch mit anderen Programmen (Kalkulations-, Grafikprogramm usw.) betrieben werden können. Die PCs haben in der Textverarbeitung die reinen Textcomputer weitgehend verdrängt.

Der Text wird über die Tastatur des PC eingegeben und erscheint auf dem Bildschirm. Der eingegebene Text wird – nachdem er am Bildschirm korrigiert und editiert wurde – über den Drucker ausgedruckt. Die Speicherung des Textes erfolgt auf Diskette oder Festplatte. Die gespeicherten Texte können beliebig oft aufgerufen, weiterbearbeitet und schließlich ausgedruckt werden. Neben Einzelplatzsystemen gibt es Mehrplatzsysteme, bei denen mehrere Arbeitsplatzcomputer mit einem Zentralrechner verbunden sind und gemeinsam den gleichen Drucker benutzen.

Eine wichtige Möglichkeit der elektronischen Textverarbeitung im Bereich der Geschäftskorrespondenz ist die *Bausteinverarbeitung*. Hierunter versteht man die Speicherung von Briefteilen in einem Textsystem, die dann nach Bedarf in einer bestimmten Reihenfolge abgerufen und zu einem Brief kombiniert werden können. Auf diese Weise wird die Erstellung von Mitteilungen, die häufig und in bestimmten Varianten vorkommen, rationalisiert. Meist kann ein nicht unerheblicher Teil der betrieblichen Korrespondenz auf diese Weise programmiert werden. Jedes Kapitel dieses Buches enthält neben Musterbriefen auch Briefbausteine. Diese sollen Anregung und Hilfe für Firmen sein, die die Vorteile der Textprogrammierung nutzen wollen. Auf die EDV-technische Seite der programmierten Textverarbeitung kann im Rahmen dieses Buches natürlich nicht eingegangen werden.

Die zweite Gruppe der obenerwähnten Geräte, d.h. solche, mit denen man Mitteilungen erstellen und übermitteln kann, umfaßt die Fernschreiber und Teletexgeräte. Mittels *Fernschreiber* (Telex) können Mitteilungen an Telexteilnehmer auf der ganzen Welt übermittelt werden, jedoch nur auf der Basis eines begrenzten Zeichensatzes (z.B. keine Großschreibung, kaum Sonderzeichen). *Teletexgeräte* sind sende- und empfangsfähige Textverarbeitungsgeräte, wobei auch Personal-Computer durch den Einbau entsprechender Modems teletexfähig gemacht werden können. Teletex hat bisher nur geringe Verbreitung gefunden, da die meisten Firmen Telefax vorziehen. Wegen der großen Beliebtheit der Telefaxgeräte hat auch der Fernschreibverkehr erheblich an Bedeutung verloren.

Die *Telefaxgeräte* (Fernkopierer) gehören zur dritten Gruppe, d.h. sie dienen der Übermittlung fertiger Vorlagen. Mit diesen Geräten kann man über das Fernsprechnetz Texte und Grafiken von einem Gerät zum anderen übertragen. Der sendende Teilnehmer wählt den Empfänger an und führt die Vorlage in sein Gerät ein, die dann auf dem Gerät des Teilnehmers reproduziert wird. Auf diese Weise ist es einem Fax-Teilnehmer möglich, anderen Fax-Teilnehmern auf der ganzen Welt innerhalb kürzester Zeit Briefe (mit Unterschriften), Zeichnungen, Skizzen, Schaubilder usw. zuzuleiten.

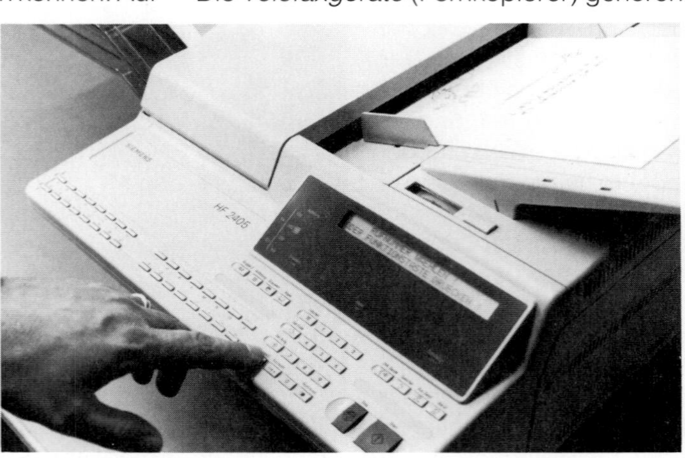

# Die äußere Form des deutschen Geschäftsbriefs

Die Bestandteile des deutschen Geschäftsbriefs sind nachstehend aufgeführt, wobei jedoch bestimmte Bestandteile nur bei Bedarf verwendet werden:

- Briefkopf
- Anschrift des Empfängers
- Bezugszeichen und Datum
- Betreffzeile
- Anrede
- Brieftext
- Schlußformel
- Unterschrift
- Anlage- und Verteilervermerk

## Briefkopf

Der Briefkopf besteht aus dem Namen und der Anschrift der Firma, gegebenenfalls mit dem Firmen- oder Warenzeichen. Außerdem finden sich auf dem Briefblatt zusätzliche Angaben wie Fernsprech-, Fernschreib-, Teletex- und Telefaxnummer, Bankverbindungen usw. Aktiengesellschaften, Gesellschaften mit beschränkter Haftung und Kommanditgesellschaften auf Aktien sind gesetzlich verpflichtet, auf ihren Briefblättern und Bestellscheinen die folgenden Einzelheiten anzugeben:

- Die Rechtsform und den Sitz der Gesellschaft.
- Das Registergericht des Sitzes der Gesellschaft und die Nummer, unter der die Gesellschaft im Handelsregister eingetragen ist.
- Die Mitglieder des Vorstandes (der Vorstandsvorsitzende ist als solcher zu bezeichnen) und den Vorsitzenden des Aufsichtsrates. (Bei der GmbH müssen anstelle des Vorstandes der bzw. die Geschäftsführer angegeben werden. Falls ein Aufsichtsrat vorhanden ist, muß – wie bei der AG – dessen Vorsitzender genannt werden.)

## Anschrift des Empfängers

Die Anschrift besteht aus dem Namen und der Postanschrift des Empfängers. Bei Verwendung von Fensterbriefhüllen wird der Brief so gefaltet, daß die Empfängeranschrift auf dem Briefblatt im Fenster der Briefhülle erscheint. Die kleingedruckten Absenderangaben stehen unmittelbar über dem Anschriftenfeld, so daß auch sie im Fenster sichtbar sind.

Bei Einzelpersonen setzt man *Herrn, Frau* oder *Fräulein* vor den Namen. Soweit die Empfängerin nicht die Anrede *Fräulein* vorzieht, benutzt man grundsätzlich auch bei unverheirateten weiblichen Personen die Anrede *Frau*. *Herrn* oder *Frau* kann man über oder neben den Namen setzen.

```
Herrn
Johannes Baumgartner
```

```
Frau Ilse Schmitt
```

Berufs- oder Amtsbezeichnungen werden in der Regel neben *Herrn* bzw. *Frau*, längere unter den Namen geschrieben. Akademische Grade (z.B. *Dr.*, *Dipl.-Ing.*) stehen vor dem Namen.

```
Herrn Rechtsanwalt
Dr. Georg Sauer
```

```
Frau Ministerialrätin
Dr. Karin Hauser
```

```
Herrn
Dipl.-Ing. Karl Bauer
```

Bei Briefen an Unternehmen wird *Firma* nur dann verwendet, wenn aus dem Namen nicht ersichtlich ist, daß es sich um ein Unternehmen und nicht um eine Einzelperson handelt.

```
Firma
Georg Berger
```

```
Textilgroßhandel
Maier & Co.
```

```
Süddeutsche
Maschinenbau AG
```

Soll ein an ein Unternehmen adressierter Brief einer bestimmten Person zugeleitet werden, wird der Name dieser Person unter den Empfängernamen gesetzt; der Vermerk *z.H.* (*zu Händen von*) ist nicht erforderlich.

```
Winter & Co. KG
Frau Johanna Mertens
```

Da bei dem obigen Beispiel der Brief an die Firma gerichtet ist, darf ihn auch ein anderer als Frau Mertens öffnen. Ist jedoch Frau Mertens der Empfänger, so ist nur sie zur Öffnung des Briefes berechtigt.

```
Frau Johanna Mertens
Winter & Co. KG
```

Die Postanschrift besteht aus Straße und Hausnummer sowie der Ortsangabe mit Postleitzahl. Bei Auslandsanschriften ist auch das Bestimmungsland anzugeben. Im Postverkehr mit Ländern, in denen die Postleitzahl vor dem Ortsnamen steht, wird als Hinweis auf das Bestimmungsland das jeweilige Nationalitätskennzeichen für Kraftfahrzeuge vor die Postleitzahl gestellt. In der Bundesrepublik Deutschland gelten seit dem 1. Juli 1993 fünfstellige Postleitzahlen.

```
Herrn
Rolf Schneider
Ganghoferstr. 34

80399 München
```

```
Frau Rosa Spöri
Baseler Straße 5

CH-3000 Bern
```

Wenn der Empfänger ein Postfach hat, gibt man anstelle der Straße und Hausnummer die Nummer des Postfachs an.

Postsendungen mit dem Vermerk *Postlagernd* werden beim Zustellpostamt zur Abholung bereitgehalten.

Anweisungen an die Post (z.B. *Mit Luftpost, Einschreiben, Eilzustellung*) werden über die Anschrift gesetzt. Behandlungsvermerke wie *Eilt* oder *Vertraulich* stehen rechts neben der Anschrift oder dem Betreff.

**Bezugszeichen und Datum**

Bezugszeichen sind die Diktatzeichen des Geschäftspartners und das Datum seines Schreibens sowie die eigenen Diktatzeichen und eventuell auch das Datum eines früheren Schreibens. Die Leitwörter für die Bezugszeichen (*Ihre Zeichen – Ihre Nachricht vom – Unsere Zeichen – Unsere Nachricht vom*) können auf dem Briefblatt aufgedruckt sein. Viele Firmen verwenden jedoch Briefbögen ohne aufgedruckte Bezugszeichen-Leitwörter, da sich diese Bögen auch für Brieffortsetzungen (Folgeseiten) eignen.

Das Datum kann auf verschiedene Weise geschrieben werden:

```
6. September 19--
6. Sept. 19--
6.9.--
06.09.--
```

(Die internationale Normenbehörde ISO empfiehlt bei der numerischen Schreibweise die Reihenfolge Jahr – Monat – Tag: 19..–09–06).

**Betreffzeile**

Als Betreff bezeichnet man eine stichwortartige Inhaltsangabe; sie steht für sich allein (d.h. ohne das Wort *Betreff*) und wird nicht unterstrichen.

**Anrede**

Die Standardanrede bei Einzelpersonen lautet:

```
Sehr geehrte Frau Schultze
```

```
Sehr geehrter Herr Müller
```

Wenn man den Empfänger gut kennt, kann man auch schreiben:

```
Lieber Herr Müller
```

```
Liebe Frau Schultze
```

Die Standardanrede für Firmen und Organisationen ist:

```
Sehr geehrte Damen und Herren
```

(*Sehr geehrte Herren* wird nur dann verwendet, wenn man sicher weiß, daß in dem betreffenden Bereich keine Damen tätig sind.)

In Werbebriefen findet man auch Anreden wie z.B. *Sehr geehrte Kundin, Sehr geehrter Kunde, Lieber Gartenfreund.*

**Brieftext**

Damit der Brief übersichtlich wird, deutet man an, welche Zeilen gedanklich zusammengehören, indem man Absätze macht.

Ist der Brief länger als eine Seite, wird er auf einer oder mehreren Folgeseiten fortgesetzt. Durch drei Punkte am Ende einer Seite wird auf die folgende Seite hingewiesen.

Wenn ein Blankoblatt als Folgeseite verwendet wird, vermerkt man auf diesem die Seitenzahl, den Empfänger, das Datum und eventuell das Diktatzeichen. Viele Firmen benutzen Folgeseiten mit gedruckten Leitwörtern, wie z.B.:

*Empfänger:*

*Unsere Zeichen:*

*Datum:*

*Blatt:*

Wie bereits erwähnt, gibt es Briefblätter, die sowohl für die erste Seite eines Briefes als auch für Folgeseiten verwendet werden können.

**Schlußformel**

Die Schlußformel bei Geschäftsbriefen lautet meist:

```
Mit freundlichen Grüßen
```

Andere mögliche Schlußformeln sind: *Mit freundlichem Gruß* und *Freundliche Grüße.*

Wenn man den Partner gut kennt, verwendet man die folgenden Schlußformeln:

```
Mit bestem Gruß
Mit herzlichen Grüßen
Herzliche Grüße
```

**Unterschrift**

Unterschriftsberechtigt sind Geschäftsinhaber, deren gesetzliche Vertreter und die entsprechend bevollmächtigten Angestellten. Der Bevollmächtigte zeichnet unter dem Namen des Vollmachtgebers mit einem Zusatz, der auf das Vollmachtsverhältnis hinweist. Der Handlungsbevollmächtigte setzt vor seine Unterschrift *i.V.*

(*in Vollmacht*) oder *i.A.* (*im Auftrag*), der Prokurist *ppa.* (*per procura*).

```
Carl Hahn oHG



ppa. Schmidt
Verkaufsleiter
```

```
Süddeutsche
Maschinenfabrik AG



ppa. Lüders    i.A. Klatte
```

Bei Verwendung eines Kopfbogens kann auf die Wiederholung des Firmennamens verzichtet werden. Bei Doppelunterschriften ist die rechte Unterschrift die des Sachbearbeiters oder Abteilungsleiters, die linke Unterschrift die seines Vorgesetzten.

Gelegentlich kommt es vor, daß der Diktierende den fertigen Brief nicht unterschreiben kann, weil er inzwischen das Haus verlassen hat. In diesem Fall setzt die Schreibkraft den Vermerk *Nach Diktat verreist* auf den Brief und unterschreibt mit dem eigenen Namen.

### Anlage- und Verteilervermerk

Werden dem Brief eine oder mehrere Anlagen beigefügt, vermerkt man diese links unten auf dem Briefblatt. Falls eine oder mehrere Personen eine Kopie des Schreibens erhalten sollen, bringt man unter dem Anlagevermerk einen Verteilervermerk an.

Bei Platzmangel kann der Anlagevermerk rechts neben der Schlußformel angebracht werden. Eine Unterstreichung der Leitwörter *Anlage(n)* und *Verteiler* ist zulässig; die Leitwörter können aber auch entfallen.

```
Anlage
```

```
2 Anlagen
```

```
Anlagen:
Preisliste
Prospekt
```

```
Preisliste
Prospekt
```

```
Verteiler:
Herrn Müller, Verkauf
Frau Braun, Werbung
```

```
Herrn Müller, Verkauf
Frau Braun, Werbung
```

Anlagen können auch in der Form kenntlich gemacht werden, daß links neben die Zeile, in der die Anlage erwähnt ist, ein Schrägstrich (/) an den Rand gesetzt wird.

Der folgende Musterbrief enthält die Bestandteile:

① Briefkopf,
② Anschrift des Empfängers,
③ Bezugszeichen und Datum,
④ Betreffzeile,
⑤ Anrede,
⑥ Brieftext,
⑦ Schlußformel,
⑧ Unterschrift,
⑨ Anlagevermerk,
⑩ Verteilervermerk.

① Max Hueber Verlag
Max-Hueber-Straße 4
85737 Ismaning bei München

Telefon (089) 9602-0
Telex 523613 hueb d
Telefax (089) 9602-358

Max Hueber Verlag · Postfach 1142 · D-85729 Ismaning

Verlagsleitung

② Inter Trade
Frau Agnes Mazac
P. O. Box 124

H-1389 Budapest
UNGARN

③ 18. September 19--
RS/do

④ Vertriebskooperation in Ungarn;
Ihre Anfrage vom 2.9.19--

⑤ Sehr geehrte Frau Mazac,

⑥ wir danken Ihnen vielmals für Ihre Anfrage und freuen uns, daß Sie an unserem Verlagsprogramm interessiert sind. Wie Sie sicherlich wissen, sind wir ein international tätiger Fachverlag für Sprachen. Unser Programm DEUTSCH ALS FREMDSPRACHE umfaßt Lehrwerke für Erwachsene und Jugendliche, Fachsprachen sowie zahlreiche Übungsmaterialien, Videos und Computerprogramme.

Weitere Einzelheiten entnehmen Sie bitte den beiliegenden Katalogen.

Wir freuen uns auf das bevorstehende Gespräch auf der Frankfurter Buchmesse.

⑦ Mit freundlichen Grüßen

⑧ Dr. Roland Schäpers

⑨ Anlage

⑩ Verteiler:
Re - Vertrieb
Kl - Messeplanung

Max Hueber Verlag GmbH & Co KG, Amtsgericht München: HRB 49304. Persönlich haftende Gesellschafterin: Sprachen-Hueber Verlagsges. mbH, Amtsgericht München: HRB 45498. Sitz der Gesellschaften: Ismaning. Geschäftsführer: Michaela Hueber, Dr. Roland Schäpers

## 1.1 Einleitung

Eine Firma, die im Ausland Abnehmer oder Lieferanten, Vertreter oder Vertretungen, Lizenznehmer oder Lizenzgeber, Kooperationspartner oder andere geschäftliche Verbindungen sucht, muß zunächst einmal die Namen und Adressen potentieller Geschäftspartner feststellen.

Zu diesem Zweck bittet sie z.B. die Handelskammer, bei der sie Mitglied ist, ihre Bank, eine offizielle Vertretung des fremden Landes oder eine im eigenen Land ansässige ausländische Handelsförderungsstelle um Nachweis geeigneter Unternehmen. Die kontaktsuchende Firma kann sich auch an eine offizielle Vertretung oder Handelsförderungsstelle des eigenen Landes im Ausland, eine ausländische Handelskammer oder einen anderen Vermittler im Ausland wenden.

## 1.2 Musterbriefe

### 1.2.1 Briefreihe I, a (➔ 2.2.1)[1]

Hartmann & Co., ein Münchner Bekleidungsunternehmen, wendet sich an die Italienische Handelskammer in München:

```
Italienische Handelskammer
Hermann-Schmid-Str. 8

80336 München
                                              25.8.19--

Firmennachweis

Sehr geehrte Damen und Herren,

als Hersteller von Damenkostümen haben wir laufend
Bedarf an Wollstoffen. Wir möchten nun auch von
italienischen Textilfabriken Angebote einholen und
bitten Sie deshalb, uns die Namen und Anschriften
einiger zuverlässiger Firmen in dieser Branche mit-
zuteilen.

Mit freundlichen Grüßen
Hartmann & Co.
i.V. Steger
```

[1] Die bei den Briefreihen verwendeten Pfeile haben folgende Bedeutung:
➔ verweist auf den Folgebrief des betreffenden Geschäftsvorfalles.
← verweist auf den vorausgehenden Brief.
Wenn Sie sich also einen Überblick über eine Briefreihe verschaffen wollen, können Sie – wie in einem Aktenordner – vor- und zurückblättern.

### 1.2.2 Deutsche Maschinenfabrik schreibt an die Deutsch-Finnische Handelskammer in Helsinki



Deutsch-Finnische Handelskammer
Kalevankatu 3 B

SF-00101 Helsinki

1.10.19--

Sehr geehrte Damen und Herren,

wir sind Hersteller von Spezialmaschinen für die Holzbearbeitung und möchten gerne mit Firmen in Finnland in Verbindung treten, die Bedarf an solchen Maschinen haben.

Um Ihnen einen Überblick über unser Fertigungsprogramm zu geben, legen wir einige Prospekte bei. Wir sind seit über 50 Jahren auf die Herstellung von Holzbearbeitungsmaschinen spezialisiert und verfügen über große Erfahrung auf diesem Gebiet.

Wir wären Ihnen sehr dankbar, wenn Sie uns finnische Firmen nennen könnten, die sich eventuell für unsere Erzeugnisse interessieren. Wir werden uns dann direkt an diese Firmen wenden.

Mit freundlichen Grüßen
Maschinenfabrik Stenzl GmbH

Anlagen

### 1.2.3 Österreichische Firma sucht Bezugsquellen

## TELEFAX-NACHRICHT

**Absender:**
**Kaltenegger HandelsgesmbH**
**Gerbergasse 15**

**A-4020 Linz**
**Tel. 0732/607327**

**Fax-Nr.:**
**Linz Österreich**
**(0) 732/607034**

**An:**

Industrie- und Handelskammer
für München und Oberbayern
Fax-Nr.: (089) 5116369

**Ref.-Nr.:** 355
**Anzahl der übermittelten Seiten:** 1

Sehr geehrte Damen und Herren,

wir suchen Lieferanten von Brauerei- und Mälzereigeräten. Bitte nennen Sie uns Namen und Adressen (mit Telefon-, Telex- und Telefax-Nr.) von Firmen in Ihrem Kammerbezirk, die solche Geräte herstellen.

Mit freundlichen Grüßen
Kaltenegger HandelsgesmbH

## 1.3 Briefbausteine



Wir stellen erstklassige Küchenmöbel her ... / Unser Haus, das bereits seit über 40 Jahren besteht, ist einer der führenden Importeure von Wein und Spirituosen / Wir sind ein gut eingeführtes Unternehmen der Metallwarenbranche.

... suchen Abnehmer für unsere Erzeugnisse / ... Importeure, die daran interessiert wären, den Vertrieb unserer Erzeugnisse zu übernehmen / ... Partner, die unsere Produkte importieren und vertreiben möchten.

... möchten ... einführen / suchen Kontakt zu Herstellern von Naturkosmetika.

... suchen leistungsfähige Firmen, die bereit wären, unsere Vertretung zu übernehmen / ... eine Firma, die in der Lage ist, unsere Erzeugnisse auf dem schwedischen Markt einzuführen.

... möchten gerne mit einem Hersteller von Kopiergeräten Kontakt aufnehmen, der einen Vertreter in der Bundesrepublik Deutschland sucht.

... sind an einer Kooperation mit französischen Unternehmen interessiert, die im Bereich Industrieanlagenbau tätig sind.

... suchen eine englische Firma, die unsere Geräte in Lizenz herstellen möchte.

... sind daran interessiert, Lizenzen für innovative Produkte im Bereich Umweltschutz zu erwerben.

... suchen Geschäftspartner für ein Joint Venture zur Herstellung von Elektroantrieben.

Wir wären Ihnen sehr dankbar, wenn Sie uns geeignete Firmen nennen könnten / ... uns helfen könnten, mit Unternehmen, die die genannten Voraussetzungen erfüllen, in Verbindung zu treten.

Wir wären Ihnen dankbar, wenn Sie Ihre Mitgliedsfirmen auf unser Angebot aufmerksam machen könnten.

Vielleicht wäre es Ihnen möglich, unsere Anfrage in Ihrem Mitteilungsblatt zu veröffentlichen.

## 1.4 Übungen

### 1.4.1 Cotex, Bursa (Türkei), an Fachverband Textilmaschinen in Frankfurt/Main

Die Firma Cotex möchte in Deutschland einen automatischen Webstuhl kaufen. Die Botschaft der Bundesrepublik Deutschland verweist sie an den Fachverband Textilmaschinen. Entwerfen Sie das Schreiben von Cotex an den Fachverband.

### 1.4.2 WALA, Kattowitz (Polen), an Industrie- und Handelskammer, Augsburg

Das polnische Unternehmen, das in den Bereichen Produktion von Schweißmaterialien / Schweißtechnik tätig ist, sucht Kontakte mit Firmen in der Bundesrepublik, die ähnliche Tätigkeitsbereiche haben und an einer Zusammenarbeit interessiert sind.

### 1.4.3 Peter Petersen A/S, Viborg (Dänemark), an Gerhard Wolff, Hamburg

Die Firma Petersen stellt Stühle und Tische aus massiver skandinavischer Eiche her und sucht zum weiteren Ausbau ihrer Geschäftsbeziehungen einen Handelsvertreter für die Bundesrepublik Deutschland. Sie bittet ihren Hamburger Geschäftsfreund Wolff, ihr bei der Vertretersuche behilflich zu sein.
Der gesuchte Vertreter sollte über gute Kontakte zu Möbelfachgeschäften und Einkaufszentren verfügen.

## 2.1 Einleitung

Dieses Kapitel behandelt Anfragen, die Kaufinteressenten an Lieferfirmen richten[1], um sich allgemein über das Angebot einer Firma sowie deren Preise und Verkaufsbedingungen zu informieren, spezielle Fragen (z.B. Lieferbarkeit einer bestimmten Ware, Lieferzeit, technische Einzelheiten) zu klären oder sich ein Angebot vorlegen zu lassen. Wenn der Interessent ein ausführliches Angebot anfordert, muß er in seiner Anfrage alle Angaben machen, die der Lieferant zur Ausarbeitung des Angebots benötigt. Anfragen sind stets unverbindlich.

## 2.2 Musterbriefe

### 2.2.1 Briefreihe I, b (← 1.2.1, → 3.4.1)

Hartmann & Co. sendet Anfragen an die italienischen Webereien, die ihr von der Italienischen Handelskammer in München genannt wurden. Unter diesen befindet sich Cora S.p.A., eine Firma in Biella, zu deren Korrespondenzsprachen auch Deutsch gehört.

Spett. ditta
Cora S.p.A.
Piazza Vecchia

I-13051 Biella

31.8.19--

Sehr geehrte Damen und Herren,

die Italienische Handelskammer in München war so freundlich, uns Ihre Anschrift zur Verfügung zu stellen.

Wir sind Hersteller von Damenkostümen und benötigen laufend Wollstoffe guter Qualität in den gängigen Farben. Bitte senden Sie uns so bald wie möglich ein Angebot mit Mustern Ihrer Stoffe und ausführliche Angaben über Lieferzeiten, Preise, Liefer- und Zahlungsbedingungen.

Auskünfte über unsere Firma erhalten Sie jederzeit von der Dresdner Bank in München.

Sollten Ihre Erzeugnisse im Hinblick auf Preis und Qualität konkurrenzfähig sein, wären wir an einer dauerhaften Geschäftsverbindung interessiert.

Mit freundlichen Grüßen
Hartmann & Co.
Karl Rahner

[1] Anfragen im Zusammenhang mit der Anbahnung geschäftlicher Kontakte sind Gegenstand des vorausgehenden Kapitels. Mit Anfragen zur Feststellung der Kreditwürdigkeit (Kreditauskunftsersuchen) befaßt sich Kapitel 6.

### 2.2.2 Anfrage wegen einer Maschine

TELEX SNOW WHITE TELEX SCHNEEWEISS TELEX SNEEUWWIT TELEX SNOW WHITE TELEX

523070a fd d
73168 formweb ch

25.01.19-- 11:09

an friedrich deckel aktiengesellschaft muenchen

betr. anfrage

bitte senden sie uns ihr angebot ueber

1 stck. einschneidefraeser-schleifmaschine s0e, 220v, 50 hz, mit antriebsmotor 0,55 kw, 2800/min. mit normal-zubehoer und projektions-messgeraet. lieferung so bald wie moeglich.

ausserdem interessieren wir uns fuer ihre baureihe von gravier- und kopierfraesmaschinen und bitten um zusendung von unterlagen. besten dank.

mfg

werkzeug- und formenbau
anton weber ag oerlikon

hans stierlimann

523070a fd
73168 formweb ch

## 2.2.3 Anfrage wegen Zuchtperlen

Hammer & Söhne Juwelenfabrik

J.E. Hammer & Söhne GmbH & Co. · Postfach 869 · 75108 Pforzheim

Tachibana Pearl Co. Ltd.
19 Arata-machi, 4 chome,
Showa-ku
Nagoya

Japan

**VERWALTUNG:**
**GÜTERSTRASSE 14-16**
FABRIKATION: GÜTERSTRASSE 1-4
**D-75177 PFORZHEIM**
POSTFACH 869
TELEFON (07231) 1870
TELEGR.-ADR.: HASO PFORZHEIM
TELEX 783644 JUWEL
TELEFAX (07231) 187-200

Wir haben gleitende Arbeitszeit. Von 9.00 bis 16.00 Uhr sind alle Mitarbeiter zu erreichen.

| IHR ZEICHEN | IHRE NACHRICHT VOM | UNSER ZEICHEN | DATUM |
| --- | --- | --- | --- |
| | | HA/m<br>TELEFON DURCHWAHL<br>(07231) 187- | 28. Oktober 19-- |

Sehr geehrte Damen und Herren,

Ihrer Anzeige in der letzten Nummer der "Übersee-Post" entnehmen wir, daß Sie erstklassige Zuchtperlen liefern.

Wir interessieren uns für 3/4-Zuchtperlen, gebohrt, in den Größen von 4 - 8 mm, und bitten um Zusendung eines Angebots mit Mustern.

Ihrer baldigen Antwort sehen wir mit Interesse entgegen.

Mit freundlichen Grüßen
HAMMER & SÖHNE GMBH & CO.

(Fritz Hammer)

| Sparkasse Pforzheim | Commerzbank Pforzheim | Volksbank Pforzheim | Postgirokonto Karlsruhe |
| --- | --- | --- | --- |
| (BLZ 66650085) | (BLZ 66640035) | (BLZ 66690000) | (BLZ 66010075) |
| Konto Nr. 807613 | Konto Nr. 4006490 | Konto Nr. 186121 | Nr. 24848-758 |

J. E. Hammer & Söhne GmbH & Co., Sitz Pforzheim, Amtsgericht Pforzheim HRA 148
Komplementär: Hammer GmbH, Sitz Pforzheim, Amtsgericht Pforzheim HRB 2012
Geschäftsführer: Andreas Hammer, Dr. Michael Wisniowski

## 2.3 Briefbausteine

Wir verdanken Ihre Anschrift der Firma XY.

... hat uns an Sie verwiesen.

Wir haben Ihre Anzeige in ... gelesen.

Wir suchen / interessieren uns für / benötigen ständig / haben laufend Bedarf an ...

Bitte nennen Sie uns Ihre Verkaufsbedingungen und Lieferzeiten für ... / machen Sie uns ein Angebot für ...

Für ausführliche Informationen / die Zusendung Ihres neuesten Katalogs / wären wir dankbar.

Als Referenzen können wir Ihnen die folgenden Firmen nennen: ...

... ist gerne bereit, Ihnen jede gewünschte Auskunft über uns zu erteilen.

Wenn Ihre Preise konkurrenzfähig sind / die Qualität Ihrer Erzeugnisse unseren Erwartungen entspricht / die Ware unseren Anforderungen genügt, ...

... wären wir bereit, Ihnen einen Probeauftrag zu erteilen.

... können Sie mit laufenden Aufträgen rechnen.

... dürften sich hier gute Verkaufsmöglichkeiten ergeben.

## 2.4. Übungen

### 2.4.1 Briefreihe II, a (→ 3.2.1)

Arturo Klein, Inhaber der Firma Klein y Cía, Ltda. in San José (Costa Rica), die Elektrogeräte importiert und vertreibt, schreibt am 12.3. an Bauer Electronic GmbH, Ostracherstraße 15, 70567 Stuttgart. Er bezieht sich auf die Industrieausstellung in Caracas, die er Anfang März besuchte, und bittet um ein ausführliches Angebot auf der Basis CIF Puerto Limón über 50 Stereo-Radiorecorder SRR, 50 Auto-CD-Spieler CDP und 50 Uhren-Radiorecorder CR. Klein fragt auch an, ob Bauer ihm je 250 Prospekte in spanischer Sprache zusenden könnte, da er diese an seine Kunden verteilen möchte.
Als Referenz nennt er den Banco Mercantil in San José und die ELAG in Frankfurt, mit der er seit längerer Zeit in Geschäftsverbindung steht. Die Verkaufsaussichten in Costa Rica für hochwertige Erzeugnisse der Unterhaltungselektronik beurteilt Klein sehr positiv.

## 2.4.2 Ribot & Co. Ltd., Montreal, an Hans Merk KG, Fürth

Ribot & Co. Ltd. interessiert sich für deutsche Spielwaren und wendet sich an die Deutsch-Kanadische Industrie- und Handelskammer in Montreal mit der Bitte um Firmennachweis.
Diese nennt u.a. die Hans Merk KG. Ribot fordert daraufhin von dieser Firma einen Katalog an und bittet um Angabe der äußersten Exportpreise sowie der Lieferzeiten und der Verkaufsbedingungen.

## 2.4.3 Laszlo Kovacs, Budapest, an Schmitz GmbH, Düsseldorf

Laszlo Kovacs handelt mit Kraftfahrzeugzubehör. In einer deutschen Fachzeitschrift liest er, daß die Firma Schmitz eine neuartige elektronische Diebstahlsicherung für Autos entwickelt hat. Er schreibt an diese Firma und bittet um Produktinformationen, da er zur Durchführung eines Markttests einen Probeauftrag erteilen möchte. Wenn der Markttest positiv ausfällt, wäre er daran interessiert, das Sicherungssystem als Alleinimporteur für Ungarn laufend von Schmitz zu beziehen.

**„Wir interessieren uns für Feuerlöscher zur baldmöglichsten Lieferung . . . "**

## 3.1 Einleitung

Eine Firma, die eine Anfrage erhält, sendet dem Interessenten die erbetenen Unterlagen und Informationen, beantwortet seine Fragen oder unterbreitet ihm das gewünschte Angebot. Angebote, denen eine Anfrage vorausgeht, bezeichnet man als verlangte Angebote, im Unterschied zu den unverlangten Angeboten, die Firmen von sich aus abgeben, ohne daß eine Anfrage vorliegt.

Nach deutschem Recht ist das Angebot grundsätzlich verbindlich: Wenn jemand einer bestimmten Person eine genau bezeichnete Ware zu bestimmten Bedingungen anbietet, ist er an dieses Angebot gebunden, und zwar so lange, wie er unter normalen Umständen mit dem Eingang einer Antwort rechnen kann. Wird das Angebot prompt und ohne Änderungen angenommen, muß er die angebotene Ware zu den genannten Bedingungen liefern. Beim befristeten Angebot wird eine Frist für die Annahme des Angebots gesetzt, z.B. *gültig bis 15. März.* Ein freibleibendes (unverbindliches) Angebot enthält eine Klausel, durch die der Anbietende seine Bindung an das Angebot einschränkt oder ausschließt, z.B. *solange Vorrat reicht, Preisänderungen vorbehalten, ohne Verbindlichkeit.*

Ein vollständiges Angebot enthält Angaben über die Waren, die Menge, den Preis, die Lieferzeit, die Lieferungs- und Zahlungsbedingungen, sowie den Erfüllungssort und Gerichtsstand. Dazu kommen eventuell noch weitere Punkte, z.B. eine die Bindung an das Angebot betreffende Klausel (siehe oben). Viele Firmen verweisen in ihren Angeboten auf ihre Allgemeinen Geschäftsbedingungen, wobei der Angebotsempfänger natürlich die Möglichkeit haben muß, vom Inhalt derselben Kenntnis zu nehmen.

Abschließend noch ein Wort zum *Werbebrief.* Dieser ist im Gegensatz zum Angebot keine Willenserklärung, deren Annahme zum Abschluß eines Vertrages führt. Der Werbebrief hat lediglich den Zweck, das Interesse des Empfängers für ein bestimmtes Produkt zu wecken.

Er ist somit ein Mittel der Direktwerbung, wobei meist eine Gruppe ausgewählter Adressaten angesprochen werden soll. Durch den Einsatz der elektronischen Textverarbeitung und Adressenverwaltung können die einzelnen Briefe „individualisiert“ werden (Anschrift, persönliche Anrede).

**„. . . möchten wir Ihnen unsere neue Baureihe von Montagerobotern vorstellen.“**

## 3.2 Musterbriefe

### 3.2.1 Briefreihe II, b (← 2.4.1, → 4.4.1)



Señor
Arturo Klein
Klein y Cía Ltda.
Apartado 3767

San José
Costa Rica

30.03.19--

Sehr geehrter Herr Klein,

wir danken Ihnen für Ihre Anfrage vom 12.03. und bieten Ihnen die von Ihnen genannten Geräte wie folgt an:

| | |
|---|---|
| 50 Stereo-Radiorecorder SRR | Preis pro Gerät US-$ ... |
| 50 Auto-CD-Spieler CDP | Preis pro Gerät US-$ ... |
| 50 Uhren-Radiorecorder CR | Preis pro Gerät US-$ ... |

Die Preise verstehen sich FOB Hamburg einschließlich seemäßiger Verpackung. Die Seefracht Hamburg-Puerto Limón und die Versicherungsspesen belaufen sich auf ... US-$, wobei wir uns das Recht vorbehalten, die am Tag der Lieferung gültigen Sätze zu berechnen. Unsere Zahlungsbedingungen lauten: Eröffnung eines unwiderruflichen und von der Deutschen Bank in Stuttgart bestätigten Dokumentenakkreditivs zu unseren Gunsten. Die Lieferung kann innerhalb 14 Tagen nach Eingang der Akkreditivbestätigung erfolgen.

Die gewünschten Prospekte in spanischer Sprache haben wir heute als Postpaket an Sie abgesandt.

Wir freuen uns, daß Sie die Absatzmöglichkeiten für unsere Erzeugnisse in Costa Rica günstig beurteilen, und hoffen, Ihre Bestellung bald zu erhalten.

Mit freundlichen Grüßen
Bauer Electronic GmbH
ppa. Schmitt i.A. Lauer

### 3.2.2 Briefreihe IV, a (→ 4.4.2)

Monsieur le Directeur
Louis Lefèvre
Dupont & Cie. S.A.
avenue du Général Leclerc

F-93500 Pantin

12. August 19--

Angebot

Sehr geehrter Herr Lefèvre,

über Ihren kürzlichen Besuch in unserem Werk haben wir uns sehr gefreut. Gerne unterbreiten wir Ihnen das gewünschte Angebot:

1 CNC Fräs- und Bohrmaschine, Typ FB 312,
zum Preis von ... DM ab Werk.

Für Verpackung berechnen wir ... DM extra. Die Lieferzeit beträgt 4 Monate. Zahlung innerhalb 30 Tagen nach Rechnungsdatum ohne Abzug. Die Transportversicherung von Haus zu Haus und die Aufstellungsversicherung wird durch uns gedeckt. Nach unseren Garantiebedingungen werden alle innerhalb eines Jahres nach Lieferung auftretenden Mängel, die auf Material- oder Arbeitsfehler zurückzuführen sind, kostenlos beseitigt. Im übrigen gelten die "Bedingungen für die Lieferung von Werkzeugmaschinen", von denen wir ein Exemplar beifügen. An dieses Angebot halten wir uns bis 12. September gebunden.

Wie bereits mit Ihnen besprochen, stellen wir Ihnen für die Aufstellung und Inbetriebnahme der Maschine gerne unsere Fachleute zur Verfügung.

Mit freundlichen Grüßen
Maschinenfabrik Neumann AG
ppa. Möller ppa. Schneider

Anlage

Gebr. Märklin & Cie. GmbH Göppingen

Telefon (07161) 608 – 1
Telex 727784
Telefax (07161) 69820
Telegramm: Märklin
Holzheimer Straße 8

Gebr. Märklin & Cie. GmbH 73037 Göppingen

Representaciones I.R.
Apartado 56466
Bogotá

Kolumbien

| Ihre Zeichen | Ihre Nachricht vom | Unser Zeichen | Durchwahl | Datum |
|---|---|---|---|---|
| | | Ba | 608– 236 | 07.07.19-- |

Sehr geehrte Damen und Herren,

besten Dank für Ihr Schreiben vom 30.06. und Ihr Interesse, unsere Produkte auf dem kolumbianischen Markt einzuführen. Gerne unterbreiten wir Ihnen das nachstehende Angebot:

Um Ihnen die Einführung unserer Produkte in Kolumbien zu erleichtern, gewähren wir Ihnen auf die Preise unserer beiliegenden DM-Exportpreisliste einen 10%igen Handelsrabatt. Die Preise verstehen sich frei deutsche Grenze, einschließlich Verpackung.

Zahlungsbedingungen: gegen Vorauskasse mit 5% Skonto.

Im allgemeinen kann die Lieferung innerhalb 1 bis 2 Wochen nach Erhalt der Aufträge erfolgen.

Mit getrennter Post senden wir Ihnen je ein Exemplar unserer neuesten Kataloge der Spurweiten 1, HO und mini-club, die Ihnen einen Überblick über unser komplettes Programmangebot geben. Sollten Sie nach Durchsicht dieser Unterlagen weitere Fragen haben, stehen wir Ihnen selbstverständlich jederzeit gerne zur Verfügung.

Wir würden uns freuen, wenn wir aufgrund unseres Angebots einen Auftrag von Ihnen erhielten und dies der Beginn einer für beide Seiten zufriedenstellenden Geschäftsbeziehung wäre.

Mit freundlichen Grüßen
Gebr. Märklin & Cie.GmbH

Anlage

130 690 Deutsche Bank AG
Göppingen BLZ 610 700 78
2 028 153 Dresdner Bank AG
Göppingen BLZ 610 800 06
1250 Gebr. Martin Bank
Göppingen BLZ 610 300 00

237 Kreissparkasse
Göppingen BLZ 610 500 00
610 074 50 Landeszentralbank
Göppingen BLZ 610 000 00
1141-700 Postgirokonto Stuttgart
BLZ 600 100 70

Amtsgericht
Göppingen HRB 4
Sitz der Gesellschaft:
Göppingen

Aufsichtsratsvorsitzender:
Dr. Klaus Anschütz, Mannheim
Geschäftsführer:
Dr. Wolfgang Huch

### 3.2.4 Angebot an eine Firma in Bombay

Sehr geehrter Herr Prasad,

wir danken Ihnen für Ihr Schreiben vom 10.02. und freuen uns, daß Sie sich für unsere Overhead-Projektoren interessieren.

Als Drucksache senden wir Ihnen Prospektmaterial über alle Geräte, die wir zur Zeit liefern. Die Prospekte enthalten Abbildungen und Beschreibungen sowie die Maße und Gewichte der einzelnen Geräte.

Die Preise finden Sie in der beiliegenden Exportpreisliste. Sie verstehen sich FOB deutscher Hafen oder Flughafen, einschließlich Verpackung. Preisänderungen behalten wir uns vor.

Unsere Zahlungsbedingungen lauten: Bei Erstaufträgen Eröffnung eines unwiderruflichen Akkreditivs zu unseren Gunsten, zahlbar bei der Dresdner Bank in Braunschweig; bei Nachbestellungen und Angabe von Referenzen Kasse gegen Dokumente durch eine Bank in Bombay.

Die Lieferzeit für unsere Geräte beträgt derzeit 6-8 Wochen. Mit Auskünften über Verschiffungsmöglichkeiten, Frachtsätze usw. sowie mit Proforma-Rechnungen zur Einholung von Importlizenzen stehen wir Ihnen auf Wunsch gerne zur Verfügung.

Wir sind seit 1950 auf die Herstellung von Projektoren spezialisiert. Unsere Geräte haben sich aufgrund ihrer Präzision und Zuverlässigkeit im In- und Ausland einen guten Namen gemacht.

Wir würden uns freuen, bald einen Probeauftrag von Ihnen zu erhalten, und versprechen prompte und sorgfältige Ausführung.

Mit freundlichen Grüßen
Krüger Projektionstechnik AG

### 3.2.5 Werbebrief



Sehr geehrte Damen und Herren,

der Alphafax 500 ist ein moderner, preiswerter Fernkopierer, der Ihre Kommunikationsmöglichkeiten erheblich erweitern kann.

Große oder kleine Vorlagen, eilige Mitteilungen oder routinemäßige Berichte - der Alphafax 500 sorgt für zügige und zuverlässige Abwicklung. Kompakt genug, um auf dem Schreibtisch Platz zu finden, erstellt er einwandfreie Ausdrucke der eingehenden Sendungen und übermittelt Ihre Vorlagen so schnell nach Übersee wie um die nächste Ecke.

Der Alphafax 500 konzentriert fortschrittliche Technik auf engstem Raum. Er ist in der Lage, eine DIN-A4-Seite in weniger als 20 Sekunden zu übertragen, wodurch die Telefongebühren auf ein Minimum reduziert werden. Bis zu 50 Rufnummern können im Alphafax 500 vorprogrammiert oder als Kurzcode abgerufen werden. Jede empfangene Seite wird automatisch mit Firmennamen, Datum und Uhrzeit ausgedruckt. Der Alphafax 500 registriert alle Sendungs- und Empfangsvorgänge, so daß Sie jederzeit umfassend informiert sind.

Als Fachhändler für Alpha-Geräte bieten wir unseren Kunden intensive Beratung und Betreuung sowie einen effizienten Kundendienst. Bitte rufen Sie uns an. Einer unserer Fachberater wird dann mit einem Alphafax 500 zu Ihnen kommen, damit Sie sich selbst von den vielen Vorzügen dieses Geräts überzeugen können.

Mit freundlichen Grüßen
Büro Electronic AG

## 3.3 Briefbausteine

---

Vielen Dank für Ihr Schreiben vom ... Wir freuen uns über Ihr Interesse an unseren Erzeugnissen und senden Ihnen gesondert / mit getrennter Post / unseren neuesten Katalog.

---

Wir danken Ihnen für Ihre Anfrage vom ... und bieten Ihnen an: ... / unterbreiten Ihnen gerne folgendes Angebot: ...

---

Unsere Preise verstehen sich FOB Hamburg, einschließlich Verpackung.

---

Die Preise gelten ab Werk.

---

Bei Zahlung innerhalb 14 Tagen nach Rechnungsdatum erhalten Sie 2% Skonto.

---

Der Kaufpreis ist ohne Abzug binnen 30 Tagen nach Empfang der Rechnung fällig.

---

Die Lieferzeit beträgt 4 Wochen.

---

Die Lieferung kann voraussichtlich Ende des nächsten Monats erfolgen.

---

Wir halten Ihnen unser Angebot bis ... offen.

---

Das Angebot ist unverbindlich / freibleibend.

---

Zwischenverkauf vorbehalten.

---

Wir würden uns freuen, Ihren Auftrag zu erhalten, und versprechen sorgfältige und pünktliche Lieferung.

---

Wir freuen uns auf Ihren Auftrag und sind sicher, daß Sie mit unserer Lieferung zufrieden sein werden.

---

*Lieferungsbedingungen*

Incoterms 1990:

EXW Ex works / Ab Werk
FCA Free carrier / Frei Frachtführer
FAS Free alongside ship / Frei Längsseite Seeschiff
FOB Free on board / Frei an Bord
CFR Cost and freight / Kosten und Fracht
CIF Cost, insurance and freight / Kosten, Versicherung und Fracht
CPT Carriage paid to / Frachtfrei
CIP Carriage and insurance paid to / Frachtfrei versichert
DAF Delivered at frontier / Geliefert Grenze
DES Delivered ex ship / Geliefert ab Schiff
DEQ Delivered ex quay (duty paid) / Geliefert ab Kai (verzollt)
DDU Delivered duty unpaid / Geliefert unverzollt
DDP Delivered duty paid / Geliefert verzollt

*Zahlungsbedingungen*

Vorauszahlung / Vorauskasse
Barzahlung bei Auftragserteilung
1/3 bei Auftragserteilung, 1/3 bei Lieferung, 1/3 innerhalb 30 Tagen nach Lieferung
Zahlung bei Rechnungserhalt
Zahlung bei Erhalt der Ware gegen Nachnahme
60 Tage Ziel / 30 Tage netto / Zahlung innerhalb 30 Tagen nach Rechnungsdatum
Zahlung innerhalb 14 Tagen abzüglich 2% Skonto oder innerhalb 30 Tagen netto
Zahlung durch Akzept nur nach besonderer Vereinbarung
Kasse gegen Dokumente
Dokumente gegen Akzept
Übergabe der Versanddokumente erfolgt gegen Bankakzept
Zahlung durch (un)widerrufliches und (un)bestätigtes Dokumentenakkreditiv

Die einzelnen Klauseln der Incoterms sowie die Zahlungsformen Kasse gegen Dokumente, Nachnahme, Dokumente gegen Akzept und Dokumentenakkreditiv werden im Kleinen Fachwörterlexikon kurz erläutert.

## 3.4 Übungen

### 3.4.1 Briefreihe I, c (← 2.2.1, → 4.2.1)

**Lidia Martinelli, die Verkaufsleiterin von Cora S.p.A., unterbreitet Hartmann & Co. am 14.9. ein Angebot folgenden Inhalts:**

Wollstoffe, das Stück zu ca. 50 m, Breite 145 cm

Nr. 64352 Gewicht je lfd. m 450 g Preis pro m Lit ...
Nr. 62667 Gewicht je lfd. m 420 g Preis pro m Lit ...
Nr. 60322 Gewicht je lfd. m 390 g Preis pro m Lit ...
Nr. 56144 Gewicht je lfd. m 375 g Preis pro m Lit ...
Nr. 53211 Gewicht je lfd. m 350 g Preis pro m Lit ...

Muster dieser Stoffe in verschiedenen Farben erhält Hartmann mit gleicher Post. Die Preise verstehen sich geliefert Grenze einschließlich Verpackung. Lieferzeit: 2-3 Monate. Lieferung mit LKW durch den Spediteur von Cora. Zahlung: Innerhalb 10 Tagen nach Erhalt der Ware mit 3 1/2% Skonto, innerhalb 30 Tagen mit 2% oder innerhalb 60 Tagen netto. Frau Martinelli weist darauf hin, daß die genannten Preise sehr scharf kalkuliert sind.

### 3.4.2 Briefreihe III, a (→ 4.2.2)

Am 15.11.19-- unterbreitet die Kaffee-Exportfirma Massoud & Co., Ltd. in Mombasa (Kenia) ihren deutschen Geschäftsfreunden, Holtmann & Co. in Bremen, das folgende Angebot:

Stocklot Nr. 5330, 50 Sack Kenia AA ...p je 50 kg
Stocklot Nr. 5331, 80 Sack Kenia PB ...p je 50 kg
Stocklot Nr. 5332, 120 Sack Kenia TT ...p je 50 kg
Stocklot Nr. 5333, 50 Sack Kenia B ...p je 50 kg
Stocklot Nr. 5334, 100 Sack Kenia A ...p je 50 kg
Stocklot Nr. 5335, 150 Sack Kenia PB ...p je 50 kg

Die Preise verstehen sich C&F Bremen. Verladung im Dezember. Zahlung: Kasse gegen Dokumente bei Ankunft des Dampfers.

Die Firma Holtmann soll angeben, an welchen Stocklots sie interessiert ist; Massoud wird ihr dann sofort Muster per Luftpost zusenden.

### 3.4.3 Perreira Ca. Lda., Lissabon, an Hanseatische Import-GmbH, Hamburg

Perreira hat von der Hanseatischen Import-GmbH eine Anfrage wegen Ölsardinen erhalten und unterbreitet folgendes Angebot:

Portugiesische Sardinen in reinem Olivenöl, ohne Haut und Gräten, in Dosen mit einem Nettoinhalt von 125 g, zum Preis von ... per 1000 Dosen CIF Hamburg. Zahlung durch unwiderrufliches Akkreditiv. Bei weiteren Geschäften ist Perreira bereit, günstigere Zahlungsbedingungen zu gewähren. Lieferzeit: 1-3 Wochen, je nach Größe des Auftrags. Erfüllungsort und Gerichtsstand ist Lissabon. Das Angebot ist 4 Wochen gültig.

### 3.4.4 Alukov, Prag, an Gaßner & Söhne, Regensburg

Die Firma Alukov stellt Alu-Leitern her, die sie auch in der Bundesrepublik Deutschland verkaufen möchte – die Industrie- und Handelskammer Regensburg nennt ihr auf Anfrage Gaßner & Söhne als potentiellen Geschäftspartner in der Bundesrepublik – Alukov unterbreitet dieser Firma ein Angebot und fügt Prospekte in deutscher Sprache sowie eine DM-Exportpreisliste bei – auf die Listenpreise, die ab Werk kalkuliert sind, gewährt sie einen Einführungsrabatt von 10% – das genaue Lieferdatum wird festgelegt, sobald die Bestellmenge bekannt ist – Zahlung: 30 Tage netto – abschließend Hinweis, daß die Leitern den deutschen Sicherheitsvorschriften sowie denen der EG entsprechen – Alukov hofft, mit Gaßner ins Geschäft zu kommen und verspricht prompte und sorgfältige Erledigung aller Aufträge

Entwerfen Sie nach diesen Stichwortangaben das Angebot der tschechischen Firma.

### 3.4.5 Werbeschreiben

Verfassen Sie ein Werbeschreiben für ein Produkt Ihres Landes, das auf dem deutschen Markt eingeführt werden soll. Das Schreiben kann je nach Art des Produkts an Endverbraucher, industrielle Verwender oder Händler (Importeure) gerichtet werden.

## 4.1 Einleitung

Durch seine Bestellung weist der Besteller die Lieferfirma an, eine bestimmte Ware zu liefern, d.h. er erteilt ihr einen Auftrag zur Lieferung der Ware. Betriebsintern mag es zweckmäßig sein, zwischen den Aufträgen (Kommissionen) der Kunden und den eigenen, den Lieferanten erteilten Bestellungen zu unterscheiden.

Wird durch die Bestellung ein bindendes Angebot rechtzeitig und ohne Änderungen angenommen, so kommt dadurch der Kaufvertrag zustande. Eine Bestellung, die zu spät erfolgt oder von den Bedingungen des Angebots abweicht, führt nur dann zu einem Vertrag, wenn sie vom Lieferanten angenommen wird. Das gleiche gilt für Bestellungen aufgrund eines freibleibenden Angebots und für Bestellungen ohne vorhergehendes Angebot. Rechtlich gesehen ist die Bestellung daher entweder die Annahme eines vom Lieferanten gemachten Vertragsangebots durch den Kunden oder ein Vertragsangebot bzw. Gegenangebot des Kunden, das der Lieferant annehmen oder ablehnen kann.

Manchmal sieht sich der Besteller durch besondere Umstände gezwungen, seine Bestellung zu widerrufen (stornieren). Nach deutschem Recht muß der Widerruf (Stornierung) spätestens gleichzeitig mit der Bestellung eintreffen. Trifft er später ein, ist die Zurücknahme der Bestellung nur mit Zustimmung des Lieferanten möglich.

**„Wir sind mit Aufträgen überhäuft."**

## 4.2 Musterbriefe

### 4.2.1 Briefreihe I, d (← 3.4.1., → 5.4.1)

Hartmann & Co. vergleicht das Angebot von Cora S.p.A. mit den anderen aus Italien eingegangenen Angeboten und erteilt dann dieser Firma den folgenden Auftrag:

Spett. ditta
Cora S.p.A.
All' attenzione della Signora Martinelli
Direttrice delle vendite
Piazza Vecchia

I-13051 Biella

23.9.19--

Bestellung Nr. 83/3421

Sehr geehrte Frau Martinelli,

wir danken Ihnen für Ihr Angebot vom 14.9. und bestellen aufgrund der uns vorliegenden Muster:

| | | | |
|---|---|---|---|
| 15 Stück | Nr. 64352 | sandbeige | Preis je m Lit ... |
| 15 Stück | Nr. 62667 | bordeauxrot | Preis je m Lit ... |
| 10 Stück | Nr. 56144 | gletscherblau | Preis je m Lit ... |
| 10 Stück | Nr. 53211 | resedagrün | Preis je m Lit ... |

Lieferzeit: 2-3 Monate

Zahlungsbedingungen: 10 Tage 3 1/2%, 30 Tage 2% oder 60 Tage netto.

Die Ware ist an unsere Spedition, Laderinnung Gutleben & Weidert Nachf., Landsberger Straße 45, 80339 München, zu liefern.

Mit freundlichen Grüßen
Hartmann & Co.

### 4.2.2 Briefreihe III, b (← 3.4.2, → 5.4.2)

Aufgrund des Angebots von Massoud & Co., Ltd. fordert Holtmann & Co. verschiedene Muster an und erteilt nach Eingang und Prüfung der Muster fernschriftlich folgenden Auftrag:

TELEX SCHNEEWEISS TELEX SNEEUWWIT TELEX SNOW WHITE

```
20377 0987
378241 holtm d

29. nov. 19--   15:45

wir danken fuer ihr angebot vom 15.11. mit mustern und
kontrahieren:

nr. 5330   50 sack kenia aa ...p je 50 kg
nr. 5333   50 sack kenia b  ...p je 50 kg
nr. 5334  100 sack kenia a  ...p je 50 kg

c f bremen
verladung im dezember
kasse gegen dokumente bei ankunft des dampfers

mfg
holtmann u. co.

20377 0987
378241 holtm d
```

cost freight

shipment

bankers draft against documents on arrival of vessel

### 4.2.3 Briefreihe V, a (→ 5.4.3)

Günther Friedrich KG, ein Einrichtungshaus in Frankfurt/Main, sendet folgende Bestellung an die Möbelfabrik Peter Petersen A/S, Viborg (Dänemark), deren Erzeugnisse schon seit längerer Zeit zu ihrem Sortiment gehören:

## GÜNTHER FRIEDRICH KG

Frankfurt / Main

Peter Petersen A/S
Thorsgade 35
DK-8800 Viborg

Bestellung Nr. 4679

Frankfurt / Main, den 10.5.19--
Mainzer Landstr. 112

Comm.: A. Lehmann
Zahlung: 30 Tage netto
Lieferung: so bald wie möglich
Versandart: mit der Bahn

| Menge | Gegenstand | Preis je Einheit | Gesamtpreis |
|---|---|---|---|
| 2 | Tische Nr. 234, Eiche geräuchert | ... dkr | ... dkr |
| 8 | Stühle Nr. 236, Eiche geräuchert, schwarze Ledersitze | ... dkr | ... dkr |
| | | | ... dkr |

geliefert Grenze (Incoterms 1990), einschließlich Verpackung

Günther Friedrich KG

Hammer & Söhne Juwelenfabrik

J.E. Hammer & Söhne GmbH & Co. · Postfach 869 · 75108 Pforzheim

Tachibana Pearl Co. Ltd.
19 Arata-machi, 4 chome,
Showa-ku
Nagoya

Japan

Attention: Mr. Yoshio Hosomi

VERWALTUNG:
GÜTERSTRASSE 14–16
FABRIKATION: GÜTERSTRASSE 1–4
D-75177 PFORZHEIM
POSTFACH 869
TELEFON (07231) 1870
TELEGR.-ADR.: HASO PFORZHEIM
TELEX 783644 JUWEL
TELEFAX (07231) 187-200

Wir haben gleitende Arbeitszeit. Von 9.00 bis 16.00 Uhr sind alle Mitarbeiter zu erreichen.

IHR ZEICHEN | IHRE NACHRICHT VOM | UNSER ZEICHEN HA/m | DATUM 19. November 19--

TELEFON DURCHWAHL (07231) 187-

Sehr geehrter Herr Hosomi,

wir danken Ihnen für Ihr Schreiben vom 7. November und die uns zugesandten Muster.

Unter der Voraussetzung, daß Sie den Mustern entsprechende Qualität liefern, erteilen wir Ihnen folgenden Probeauftrag: trial order

| | | | | | |
|---|---|---|---|---|---|
| 30 Momme | 3/4 | 4,0 - 4,5 mm | US$ 0.00 | US$ 000.00 |
| 5 " | 3/4 | 4,5 - 5,0 " | " 0.00 | " 00.00 |
| 15 " | 3/4 | 5,0 - 5,5 " | " 0.00 | " 00.00 |
| 15 " | 3/4 | 5,5 - 6,0 " | " 0.00 | " 00.00 |
| 15 " | 3/4 | 6,0 - 6,5 " | " 0.00 | " 00.00 |
| 15 " | 3/4 | 7,0 - 7,5 " | " 0.00 | " 000.00 |
| | | | | US$ 000.00 |

consignment

Die Sendung soll so bald wie möglich per Luftpost geliefert werden. Die Zahlung erfolgt sofort nach Eingang Ihrer Rechnung durch Banküberweisung.

Wir hoffen, daß wir mit Ihnen zu einer angenehmen Geschäftsverbindung kommen werden. Wenn Ihre erste Probelieferung zu unserer Zufriedenheit ausfällt, können Sie mit größeren Nachbestellungen rechnen.

follow up orders

Mit freundlichen Grüßen
HAMMER & SÖHNE GMBH & CO.

(Fritz Hammer)

Sparkasse Pforzheim (BLZ 66650085) Konto Nr. 807613 | Commerzbank Pforzheim (BLZ 66640035) Konto Nr. 4006490 | Volksbank Pforzheim (BLZ 66690000) Konto Nr. 186121 | Postgirokonto Karlsruhe (BLZ 66010075) Nr. 24848-758

J. E. Hammer & Söhne GmbH & Co., Sitz Pforzheim, Amtsgericht Pforzheim HRA 148
Komplementär: Hammer GmbH, Sitz Pforzheim, Amtsgericht Pforzheim HRB 2012
Geschäftsführer: Andreas Hammer, Dr. Michael Wisniowski

### 4.2.5 Auftrag zur Lieferung einer Maschine

523070a fd d
73168 formweb ch

03.02.19-- 10.15

auftrag nr. 5698

wir danken ihnen fuer ihr angebot vom 28.01. und bestellen:

1 stck. einschneidefraeser-schleifmaschine s0e, 220 v,
50hz, mit antriebsmotor 0,55 kw, 2800/min. mit normal-
zubehoer und projektions-messgeraet im gesamtwert von
dm ...

preisstellung: frei grenze, einschliesslich verpackung

zahlung: innerhalb 30 tagen nach rechnungsdatum

lieferung: bis ende maerz

wir erwarten ihre bestaetigung des obigen auftrags.
vielen dank fuer die zusendung der unterlagen ueber
gravier- und kopierfraesmaschinen, die wir inzwischen
erhalten haben.

mfg

werkzeug- und formenbau
anton weber ag oerlikon

hans stierlimann

523070a fd d
73168 formweb ch

### 4.2.6 Ablehnung eines Angebots

Sehr geehrter Herr van Straten,

wir danken Ihnen für Ihr Angebot vom 12.8. Da wir z.Z. noch größere Lagerbestände haben, können wir leider davon keinen Gebrauch machen. Sobald wir wieder Bedarf an Gemüsekonserven haben, werden wir Ihnen dies mitteilen.

Mit freundlichen Grüßen

### 4.2.7 Gegenangebot des Interessenten

Sehr geehrte Frau McKinley,

besten Dank für Ihr Angebot und das uns überlassene Muster des Artikels 8831/44.

Mit der Qualität des Materials sind wir zufrieden, nur der Preis scheint uns etwas hoch zu sein. Von einem anderen Lieferanten in Schottland wurde uns eine ähnliche Qualität zu DM .../m angeboten. Wenn Sie uns den gleichen Preis machen können, sind wir gerne bereit, 30 Stück zu bestellen.

Es würde uns freuen, wenn es Ihnen möglich wäre, unseren Vorschlag anzunehmen.

Mit freundlichen Grüßen

### 4.2.8 Teilweiser Widerruf einer Bestellung

## Faxnachricht

**Von:**
Hermann & Söhne, Mannheim
Fax-Nr. 0921-633466

**An:**
Hasan A. Emer, Izmir
Fax-Nr. 00905156789

**Unser Zeichen:** JH/FG **Datum:** 23.09.19--

Sehr geehrter Herr Emer,

ich beziehe mich auf meine Bestellung Nr. 62204 vom 18.09. Inzwischen habe ich festgestellt, daß die Waren mit den Bestellnummern 1161 und 1175 versehentlich zweimal bestellt wurden. Sie sind bereits auf Bestellung Nr. 61804 aufgeführt, die ich Ihnen letzte Woche sandte. Bitte entschuldigen Sie dieses Versehen. Diese beiden Positionen sind zu streichen. Lieferung der übrigen Positionen wie vereinbart.

Mit freundlichen Grüßen
Josef Hermann

## 4.3 Briefbausteine



Ich danke Ihnen für Ihr Angebot und bestelle ...

Aufgrund Ihres Angebots bestelle ich folgende Artikel: ...

Wir haben die uns zugesandten Muster geprüft und bestellen zur sofortigen Lieferung entsprechend Ihrem Angebot vom ...

Wir bitten um prompte Bestätigung und Angabe des frühesten Liefertermins.

Sollten Sie die Ware nicht bis ... liefern können, bitte ich um sofortige Benachrichtigung.

Sorgfältige Verpackung ist unbedingt erforderlich.

Die Versicherung wird von uns gedeckt / ...ist von Haus zu Haus abzuschließen.

*Stornierung*

Unerwartet eingetretene Umstände veranlassen uns heute, Sie zu bitten, unseren Auftrag Nr. ... zu stornieren.

Infolge unvorhergesehener Umstände sind wir leider gezwungen, unseren Auftrag vom ... zu widerrufen.

Da unser Kunde uns soeben fernschriftlich mitgeteilt hat, daß die Maschine nicht mehr benötigt wird, bleibt uns keine andere Wahl, als unsere Bestellung zu widerrufen.

Wir hoffen, Sie bald durch Erteilung eines anderen Auftrags für die Ihnen entstandenen Unannehmlichkeiten entschädigen zu können.

## 4.4 Übungen

### 4.4.1 Briefreihe II, c (← 3.2.1, → 5.2.1)

Arturo Klein bestellt am 18.4. die im Angebot der Bauer Electronic GmbH aufgeführten Geräte zu den genannten Preisen und Bedingungen. Er bittet Bauer, auf sorgfältige Verpackung zu achten, da die Sendung während der langen Seereise und auch noch nach Ankunft im Bestimmungshafen erheblichen Belastungen ausgesetzt ist. Die Packstücke sind wie folgt zu beschriften:

KCL
1 - ...
San José via Puerto Limón
Costa Rica

Sobald Klein die Auftragsbestätigung mit den endgültigen CIF-Spesen erhält, wird er seiner Bank den Auftrag zur Eröffnung des Akkreditivs erteilen.

### 4.4.2 Briefreihe IV, b (← 3.2.2, → 5.2.2)

Nachdem Louis Lefèvre von Dupont & Cie. S.A. das Angebot der Maschinenfabrik Neumann AG geprüft hat, erteilt er am 20.8. namens seiner Firma den Auftrag auf Lieferung der Maschine und bittet um Mitteilung, sobald diese versandbereit ist.

### 4.4.3 Briefreihe VI, a (→ 5.2.3)

The German Bookstore, Inc., eine Buchhandlung in Tokio, erteilt am 24.1. dem Max Hueber Verlag in Ismaning bei München, von dem sie schon wiederholt Bücher bezogen hat, folgenden Auftrag:

| Nr. | Anzahl | Autor und Titel | Einzelpreis | Gesamtpreis |
|---|---|---|---|---|
| 1371 | 600 | Aufderstraße, Hartmut u.a.<br>Themen 1 | DM ... | DM ... |
| 1372 | 400 | Aufderstraße, Hartmut u.a.<br>Themen 2 | DM ... | DM ... |
| 1373 | 300 | Aufderstraße, Hartmut u.a.<br>Themen 3 | DM ... | DM ... |

Lieferungs- und Zahlungsbedingungen wie üblich. Da es sich um Lehrbücher handelt, die die Universität Tokio dringend benötigt, bittet die Buchhandlung den Verlag, die bestellten Bücher so bald wie möglich per Luftfracht zu versenden.

### 4.4.4 Rosner GmbH, München, an Wehrli AG, Winterthur

Anton Richter von der Firma Rosner bestätigt sein Telefongespräch mit Herrn Hugler, dem Verkaufsleiter von Wehrli, in dem er diesen bat, den Auftrag Nr. A317-25 zu streichen. Die mit diesem Auftrag bestellten Schaltungen waren für ein Exportgeschäft bestimmt, das in letzter Minute geplatzt ist. Richter entschuldigt sich für die Unannehmlichkeiten, die er der Schweizer Firma bereiten muß, und hofft, ihr anstelle des entgangenen Auftrags bald einen neuen erteilen zu können.

## 5.1 Einleitung

Bei Bestellungen, die ein Vertragsangebot oder Gegenangebot des Kunden darstellen, bedarf es zum Abschluß des Vertrages der Annahme der Bestellung durch den Lieferanten. Die Annahme kann eine förmliche (Auftragsbestätigung) oder formlose (sofortige Lieferung) sein. Aber auch in Fällen, in denen der Kaufvertrag bereits durch die Bestellung geschlossen wurde, ist es üblich, dem Kunden eine Auftragsbestätigung zu senden. Die Auftragsbestätigung kann mit Versandanzeige und Rechnung kombiniert werden.

Wenn der Lieferant sich nicht in der Lage sieht, eine Bestellung, bei der es sich um ein Vertragsangebot bzw. Gegenangebot des Bestellers handelt, anzunehmen (z.B. weil er die bestellte Ware nicht liefern kann oder mit den vom Besteller genannten Bedingungen nicht einverstanden ist), lehnt er entweder die Bestellung ab oder macht ein neues Angebot, indem er z.B. eine andere Ware als Ersatz anbietet oder andere Bedingungen vorschlägt. Der Besteller muß dann entscheiden, ob er das Gegenangebot des Lieferanten annehmen kann oder nicht.

## 5.2 Musterbriefe

### 5.2.1 Briefreihe II, d (← 4.4.1, → 8.2.1)

Señor
Arturo Klein
Klein y Cía Ltda.
Apartado 3767

San José
Costa Rica

05.05.19--

Auftragsbestätigung

Sehr geehrter Herr Klein,

besten Dank für Ihre Bestellung vom 18.04., die wir wie folgt notiert haben:

➡

| | | |
|---|---|---|
| 50 Stereo-Radio-<br>recorder SRR | US$...pro Gerät | US/$... |
| 50 Auto-CD-<br>Spieler CDP | US$... " " | US/$... |
| 50 Uhren-Radio-<br>recorder CR | US$... " " | US/$... |
| | | US/$ ...FOB Hamburg |
| | + Seefracht | US$... |
| | + Versicherung | US$... |
| | | US$...CIF Puerto Limón |

Zahlungsbedingungen: Unwiderrufliches und bestätigtes Dokumentenakkreditiv.

Versand: Innerhalb 14 Tagen nach Eingang der Akkreditivbestätigung.

Die Verpackung der Geräte erfolgt in Holzkisten, die mit bituminiertem Papier ausgeschlagen und mit Stahlbandumreifung versehen sind.

Sie können versichert sein, daß wir den uns erteilten Auftrag mit größter Sorgfalt ausführen werden.

Mit freundlichen Grüßen
Bauer Electronic GmbH
ppa. Schmitt i.A. Lauer

### 5.2.2 Briefreihe IV, c (← 4.4.2, → 10.4.1)



Monsieur le Directeur
Louis Lefèvre
Dupont & Cie. S.A.
avenue du Général Leclerc

F-93500 Pantin

25. August 19--

Auftragsbestätigung

Sehr geehrter Herr Lefèvre,

wir bestätigen Ihren Auftrag vom 20. August auf Lieferung einer CNC Fräs- und Bohrmaschine vom Typ FB 312. Die Lieferung der Maschine erfolgt, wie vereinbart, innerhalb 4 Monaten.

Wir danken Ihnen für Ihr Vertrauen und versichern Ihnen, daß wir Ihre Anweisungen genauestens beachten werden. Sobald die Maschine versandbereit ist, erhalten Sie von uns Nachricht.

Mit freundlichen Grüßen
Maschinenfabrik Neumann AG
ppa. Möller ppa. Schneider

### 5.2.3 Briefreihe VI, b (← 4.4.3, → 14.2.1)

**MAX HUEBER VERLAG – Verlagsauslieferung**

**Geliefert im A**

Max-Hueber-Straße 4
D-85737 Ismaning
Telefon (0 89) 96 02-0
Telefax (0 89) 96 02-3 58
Telex 5 23 613 hueb d

▶ Zahlungen bit

Max Hueber Verlag GmbH & Co KG, Max-Hueber-Straße 4, D-85737 Ismaning

POSTGIROA
BAYERISCH

THE GERMAN BOOKSTORE, INC.
114 NAKANO-CHO, SETAGAYA-KU
TOKYO
JAPAN

Auftragsbestäti
RECHNUNG

Bestelltag
03.02.19

Lieferbeding.

Versand-
Anschrift

| Pos. Nr. | Bestell-Menge | Liefer-Menge | Melde-Nr. | Artikel-Nr./ISBN | Artikel-Bezeichnung: Mit * gekennzeichnete Artikel s |
|---|---|---|---|---|---|
| 002 | 600 | 600 | | 3-19-001371-3 | THEMEN 1 |
| 003 | 400 | 400 | | 3-19-001372-3 | THEMEN 2 |
| 004 | 300 | 300 | | 3-19-001373-X | THEMEN 3 |
| 950 | | | | | VERSANDSPESEN |
| | | | | | |
| | | | | | |
| | | | | | |
| | | | | | BANK/POSTSCHE( |

▲ **Bitte beachten Sie die Rückseite!**

MwSt. 1/DM
...

| Anz. Send. | Zahlungsbedingungen |
|---|---|
| 25 | INNERHALB 60 TAGEN NETTO |

Verkehrs-Nr. 14459

: HUEBER VERLAG
:5737 ISMANING Telefon 089/9602-2

**gende Konten / Genehmigte Rücksendungen bitte nur direkt an die Auslieferung**

| | | |
|---|---|---|
| J | (BLZ 70010080) | KONTO 36238-803 |
| 3ANK MÜNCHEN | (BLZ 70020270) | KONTO 36102500 |

| | Bei Schriftverkehr, Zahlung oder Rücksendung bitte angeben | | |
|---|---|---|---|
| | Tag | Kunden-Nr. | Rechnungs-Nr. |
| | 03.02.19-- | 7187 | 123456 |

| en | Liefersch-Nr. | Liefersch-Tag | Auftr.-Nr. | Vert. | |
|---|---|---|---|---|---|
| | | | 580552 | 204 | |

ZU UNSEREN GESCHÄFTSBEDINGUNGEN

NUNGSANSCHRIFT

Blatt 1

| den | Einzelpreis in DM | | Gesamt in DM | *MwSt. Schl. |
|---|---|---|---|---|
| .09 | ... | ... | ... | 1 |
| .06 | ... | ... | ... | 1 |
| .04 | ... | ... | ... | 1 |
| | ... | | | |
| | | | | |
| | | | | |
| | | | | |
| AELLIG AM: 04.04.19-- | | | | |

| | Steuerl. Entgelt 1/DM | Steuerl. Entgelt 2/DM | Rechnungsbetrag |
|---|---|---|---|
| | ... | | ... |

| ıtto | Versandweg/-art | |
|---|---|---|
| | LUFTFRACHT | *MwSt.-Schlüssel: 0 = ohne<br>1 = ermäßigt<br>2 = voll |

## 5.2.4 Bestätigung eines Maschinenauftrags

Confirmation

**DECKEL**

order confirmation

AUFTRAGSBESTÄTIGUNG

| | |
|---|---|
| DECKEL-REF.-NR. | : 462623 / 1 89570 VOM 29.03.-- |
| KUNDEN-NUMMER | : 504226 |
| BESTELL-NUMMER | : 5689 VOM 27.11.-- |
| VERSANDADRESSE | : ELEKTRO KONTAKT ZAGREB |
| VERSANDART | : LKW-VERSAND |
| VERPACKUNG | : KISTE |
| VERSICHERUNG | : UNVERSICHERT |
| KONTIERUNG | : 7505 462623 |
| ZUSTAENDIG | : HR: WLOCH TEL 2796 |

ELEKTRO-KONTAKT

POSTFACH 1025
YU 41001 ZAGREB

SEHR GEEHRTE DAMEN UND HERREN,

VIELEN DANK FUER IHREN AUFTRAG. WIR WERDEN DIESEN UNTER ZUGRUNDELEGUNG UNSERER VERKAUFSBEDINGUNGEN WIE FOLGT AUSFUEHREN:

LIEFERZEIT
VORAUSSICHTLICH 2-3 MONATE NACH AKKREDITIVERHALT.

POS. BENENNUNG / ABMESSUNG — SACH-NR./KD-Sach-NR.

1/0 UNIVERSAL GRAVIER- und KOPIER-
FRÄSMASCHINE GK21 MIT NZ
AUSFÜHRUNG 380 VOLT 50 HZ

4601000002
ZOLLTARIF : 8459 69990

| MENGE | PREIS DM | GESAMT |
|---|---|---|
| 1 ST | 00000,00 | 00000,00 |

| | |
|---|---|
| WARENWERT | 61218 |
| SONDERRABATT | 3060 |
| NETTOWERT | 58158 |
| AUFTRAGSWERT | 58158 |

PREISE
DIE PREISE VERSTEHEN SICH FREI
GRENZE BRD,
EINSCHLIESSLICH VERPACKUNG, AUSSCHLIESSLICH
VERSICHERUNG.

ZAHLUNG
100% DES AUFTRAGSWERTES ZAHLBAR DURCH UNWIDERRUFLICHES AKKREDITIV

VERSICHERUNG - GEFAHRENÜBERGANG
DIE TRANSPORTVERSICHERUNG VON HAUS ZU HAUS WIRD VON IHNEN
ABGESCHLOSSEN.

Friedrich Deckel
Aktiengesellschaft
Plinganserstraße 150
D-81369 München

Telefon (089) 7246-0

Telex 523070 fd d

Telefax

Zentrale (089) 7246-2560
Vertrieb (089) 7246-2966
Einkauf (089) 7246-2611
Versand (089) 7246-2559
Kundendienst (089) 7246-2829
Kundendienst (089) 7246-2929

Vorsitzender des Aufsichtsrats:
Manfred Emcke
Vorstand:
Dipl.-Ing. Leif G. Lundkvist (Vorsitzender)
Dipl.-Ing. (FH) Michael Geiger
Dr.-Ing. Christoph Maluche
Dr. Gottfried Theissing
München HRB 44680

Bankverbindungen:

| | | |
|---|---|---|
| Bayerische Vereinsbank | Kto. 315 | BLZ 700 202 70 |
| Deutsche Bank | Kto. 16/38741 | BLZ 700 700 10 |
| Dresdner Bank | Kto. 3085582 | BLZ 700 800 00 |
| Merck, Fink & Co. | Kto. 215651 | BLZ 700 304 00 |
| Bankhaus Reuschel & CO | Kto. 10.04931 | BLZ 700 303 00 |
| Postgiroamt München | Kto.7537-808 | BLZ 700 100 80 |

**DECKEL**

BLATT : 9
DATUM : 29.03.--
DECKEL-REF.-NR. : 462623/1

VERSAND
DER VERSAND ERFOLGT GEMAESS IHREN WEISUNGEN MIT SPEDITION INTEREUROPA ZAGREB.

VERPACKUNG
MASCHINENKISTE FUER LANDTRANSPORT.

KISTENMARKIERUNG
WENN NICHT ANDERS VORGESCHRIEBEN
EMPFÄNGER
AUFTRAGS-NR. / LFD. KISTEN-NR.
BESTIMMUNGSORT
NETTO- UND BRUTTOGEWICHT

GARANTIE
ABWEICHEND VON PARAGRAPH 7 UNSERER BEDINGUNGEN LEISTEN WIR GARANTIE FUER DIE DAUER VON 12 MONATEN AB INBETRIEBNAHME, LAENGSTENS JEDOCH FUER 15 MONATE AB RECHNUNGSDATUM.
NATUERLICHE ABNUTZUNG IST VON DIESER GARANTIE AUSGESCHLOSSEN.

ALLGEMEINE BEDINGUNGEN
SOWEIT NICHT ANDERWEITIG FESTGELEGT, GELTEN FUER DIE ABWICKLUNG DIESES AUFTRAGES UNSERE BEDINGUNGEN FUER DIE LIEFERUNG VON WERKZEUGMASCHINEN.

MIT FREUNDLICHEN GRUESSEN
FRIEDRICH DECKEL AKTIENGESELLSCHAFT
I.V. I.A.

Friedrich Deckel
Aktiengesellschaft
Plinganserstraße 150
D-81369 München

Telefon (089) 7246-0

Telex 523070 fd d

Telefax

Zentrale (089) 7246-2560
Vertrieb (089) 7246-2966
Einkauf (089) 7246-2611
Versand (089) 7246-2559
Kundendienst (089) 7246-2829
Kundendienst (089) 7246-2929

Vorsitzender des Aufsichtsrats:
Manfred Emcke
Vorstand:
Dipl.-Ing. Leif G. Lundkvist (Vorsitzender)
Dipl.-Ing. (FH) Michael Geiger
Dr.-Ing. Christoph Maluche
Dr. Gottfried Theissing
München HRB 44680

Bankverbindungen:

Bayerische Vereinsbank Kto. 315 BLZ 700 202 70
Deutsche Bank Kto. 16/38741 BLZ 700 700 10
Dresdner Bank Kto. 3085582 BLZ 700 800 00
Merck, Fink & Co Kto. 215651 BLZ 700 304 00
Bankhaus Reuschel & CO. Kto. 10.04931 BLZ 700 303 00
Postgiroamt München Kto. 7537-808 BLZ 700 100 80

### 5.2.5 Gegenangebot des Lieferanten

Sigfúsar Eymundssonar
Austurstræti 18

121 Reykjavik

Island

Attention: Ms. Patberg 30.09.19--

Sehr geehrte Frau Patberg,

wir bestätigen den Empfang Ihres Schreibens vom 22.09. und danken Ihnen für Ihre Bestellung.

Leider müssen wir Ihnen jedoch mitteilen, daß die von Ihnen genannten Preise nicht mehr gültig sind. Wegen der gestiegenen Materialpreise und der Erhöhung der Tariflöhne und -gehälter waren wir gezwungen, unsere Preise der Kostenentwicklung anzupassen. Wir legen unsere neueste, seit dem 01.06. gültige Preisliste bei und bitten Sie, den Auftrag zu den neuen Preisen zu bestätigen.

Die Lieferung kann innerhalb 4 Wochen nach Eingang Ihrer Bestätigung erfolgen.

Mit freundlichen Grüßen
Eberle & Co.KG

Anlage

## 5.3 Briefbausteine

Über Ihren Auftrag vom ... haben wir uns sehr gefreut.

Wir haben den uns erteilten Auftrag, für den wir bestens danken, wie folgt vorgemerkt: ...

Die Sendung geht am ... als Luftfrachtgut an sie ab.

Wir werden Sie benachrichtigen, sobald die Sendung versandbereit ist.

Wir werden Ihren Auftrag mit der größten Sorgfalt ausführen / ... Ihre Anweisungen genau beachten.

Wir hoffen, daß dieser Erstauftrag zu weiteren Geschäftsabschlüssen / zu einer dauerhaften Geschäftsverbindung führen wird.

*Ablehnung der Bestellung / Gegenangebote des Lieferanten*

Wir müssen Ihnen leider mitteilen, daß die von Ihnen bestellten Artikel nicht mehr hergestellt werden / ...daß es uns nicht möglich ist, Ihre Bestellung fristgemäß auszuführen.

Eine neue Lieferung wird nicht vor ... erwartet.

Das Gerät ist leider nicht mehr lieferbar, da es inzwischen durch eine verbesserte Version ersetzt worden ist.

Seit Beginn des Jahres führen wir keine Haushaltsgeräte mehr.

Wir sind leider nicht in der Lage, Ihren Auftrag zu den von Ihnen genannten Preisen anzunehmen.

Die Preisliste, auf die Sie sich in Ihrer Bestellung beziehen, ist inzwischen durch eine neue ersetzt worden, die wir diesem Schreiben beilegen.

Den von Ihnen genannten Preis können wir nur akzeptieren, wenn Sie Ihre Bestellung auf ... Stück erhöhen.

## 5.4 Übungen

### 5.4.1 Briefreihe I, e (← 4.2.1, → 8.4.1)

Am 3.10. bestätigt Lidia Martinelli von Cora S.p.A. den von Hartmann & Co. erteilten Auftrag. Entwerfen Sie das Bestätigungsschreiben.

### 5.4.2 Briefreihe III, c (← 4.2.2, → 8.4.2)

Massoud & Co. Ltd. bestätigt am 30.11. das mit Holtmann & Co. abgeschlossene Geschäft unter der Kontrakt-Nr. 6779. In dieser Bestätigung bezieht die Firma sich auf ihr Angebot vom 15.11. sowie das Fernschreiben von Holtmann vom 29.11., wiederholt die Einzelheiten der Bestellung und führt außerdem die folgenden Punkte auf:

| | |
|---|---|
| Gewichtsbasis: | Abladegewicht |
| Verpackung: | in Sisalsäcken |
| Verschiffung: | Dezember 19--<br>mit D. „Zonnekerk“ |
| Verschiffungshafen: | Mombasa |
| Bestimmungshafen: | Bremen |

Arbitrage: Alle sich eventuell aus diesem Vertrag ergebenden Streitigkeiten sind durch Arbitrage in London beizulegen.

### 5.4.3 Briefreihe V, b (← 4.2.3, → 8.4.3)

Peter Petersen A/S bestätigt am 14.5. den Auftrag von Günther Friedrich KG – Möbel voraussichtlich in ca. 4 Wochen versandbereit – frühere Lieferung wegen der großen Zahl der vorliegenden Aufträge leider nicht möglich – Lieferbedingung: geliefert Grenze, wie gewünscht – Bahnfracht ab Grenze geht zu Lasten des Käufers

### 5.4.4 Morris Engines PLC, Bristol, an Maschinenfabrik Werner, Augsburg

Jim Clark von Morris bestätigt sein Telefongespräch mit Antje Fischer – Annahme der Bestellung über 120 Kurbelwellen leider nicht möglich – Grund: die Kurbelwellen sind für die Tochtergesellschaft von Werner in Jakarta bestimmt, Indonesien gehört jedoch zum Verkaufsgebiet der Niederlassung von Morris in Singapur – Werner bzw. die Tochtergesellschaft von Werner in Jakarta soll sich daher an die Niederlassung von Morris in Singapur wenden (Morris Engines Pte. Ltd., 866 Jurong Rd., Singapore)

## 6.1 Einleitung

Um die Zahlungsfähigkeit eines Kunden festzustellen, kann der Lieferant vor Vertragsschluß eine Auskunft über diesen einholen. Neben der Bitte um Kreditauskunft gibt es aber auch noch andere Auskunftsersuchen: So möchte sich vielleicht ein Importeur über die Zuverlässigkeit und Leistungsfähigkeit eines neuen Lieferanten informieren, oder eine Exportfirma möchte feststellen, ob ein ausländisches Unternehmen, das sich um ihre Vertretung beworben hat, die gestellten Anforderungen erfüllt.

Meist gibt ein neuer Geschäftspartner andere Unternehmen oder Banken als Referenzen an, bei denen Erkundigungen eingezogen werden können. Der Auskunftsuchende kann sich auch an eine Wirtschaftsauskunftei wenden. Die Industrie- und Handelskammern sowie die Auslandshandelskammern gewähren Hilfe bei der Beschaffung von Auskünften.

## 6.2 Musterbriefe

### 6.2.1 Briefreihe II

Bauer Electronic GmbH wendet sich vor Abgabe des Angebots an die ELAG in Frankfurt, eine der von Arturo Klein genannten Referenzen.

**BAUER ELECTRONIC GMBH**
**Ostracherstr. 15**

**70567 Stuttgart**

**Telefon (0711) 72 73 98**
**Telefax (0711) 72 46 45**
**Telex 764675 bauel d**

**TELEFAX AN:**

ELAG
Hanauer Landstraße 116
60314 Frankfurt am Main
Telefax-Nr. (069) 4 93 90 62

**Datum:** 26.03.19--
**Seitenanzahl (inklusive Erstblatt):** 1

Vertraulich

Sehr geehrte Damen und Herren,

die Firma Klein & Cía. Ltda., San José (Costa Rica), die mit uns in Geschäftsverbindung treten möchte, hat uns Ihr Haus als Referenz genannt.

Wir wären Ihnen daher sehr dankbar, wenn Sie uns Näheres über diese Firma mitteilen könnten. Uns interessieren neben dem Ruf und dem Ansehen des Inhabers die Größe, der Umsatz und die Zahlungsweise der Firma. Vielleicht könnten Sie auch kurz zu der Frage Stellung nehmen, welche Zahlungsbedingungen Ihrer Ansicht nach mit der Firma Klein vereinbart werden sollten.

Wir danken Ihnen für Ihre Bemühungen und versichern Ihnen, daß wir Ihre Auskunft streng vertraulich behandeln werden.

Mit freundlichen Grüßen
Bauer Electronic GmbH
ppa. Schmitt i.A. Lauer

### 6.2.2 Anfrage wegen Firma, die sich um Vertretung beworben hat

Sehr geehrte Damen und Herren,

die Firma Kalaitzakis in Athen hat uns mitgeteilt, daß Sie mit ihr in laufender Geschäftsverbindung stehen.

Diese Firma hat sich um unsere Vertretung in Griechenland beworben. Bei Übertragung der Vertretung würden wir ihr Konsignationswaren im Werte von ca. ... zur Verfügung stellen.

Bevor wir eine Entscheidung in dieser Angelegenheit treffen, möchten wir Sie bitten, uns kurz mitzuteilen, wie Sie die Vermögenslage und Zuverlässigkeit dieser Firma einschätzen. Außerdem interessiert uns natürlich die Frage, ob sie Ihrer Meinung in der Lage ist, den griechischen Markt intensiv zu bearbeiten.

Wir danken Ihnen für Ihre Mühe und sichern Ihnen vertrauliche Behandlung Ihrer Auskunft zu.

Mit freundlichen Grüßen

Anlage

## 6.2.3 Vordruck einer Bank für die Einholung von Auskünften



**BAYERISCHE VEREINSBANK**
AKTIENGESELLSCHAFT

Vertraulich Confidential! Confidentiel! Confidenciàl!

Ort, Datum / place, date / lieu, date / lugar, fecha / luogo, data

........................................................................

Anfrage über / inquiry about / demande sur / demanda acerca / richiesta su

........................................................................

Ref.No. ____________

Sehr geehrte Herren

Wir gestatten uns, Sie um eine möglichst genaue Auskunft über Geschäftsumfang, Vermögensverhältnisse, Ansehen und Kreditwürdigkeit zu bitten.

Ein Auskunftsbüro nehmen Sie bitte nicht in Anspruch.

Ihre freundlichen Mitteilungen werden wir vertraulich und ohne jede Verbindlichkeit für Sie verwenden.

Wir danken Ihnen im voraus bestens für Ihre Gefälligkeit und sind zu Gegendiensten gerne bereit.

Dear Sirs,

Please be good enough to furnish us with a report on the standing, reputation, financial responsibility and business activities of the subject firm.

Please do not refer our inquiry to a commercial agency.

Any information we receive from you will, of course, be used with discretion and without any liability on your part.

Thanking you in advance for your kind cooperation, we assure you that we shall be glad to reciprocate this service whenever the occasion arises.

Messieurs,

Nous vous prions de bien vouloir nous fournir des renseignements aussi détaillés que possible sur la firme précitée, notamment sur son standing, son chiffre d'affaires, ses ressources et le crédit dont elle jouit.

Ne veuillez pas contacter une agence de renseignements.

Nous vous remercions d'avance de vos informations dont nous ferons l'usage le plus discret et sans responsabilité de votre part, et restons à votre entière disposition pour vous rendre pareil service.

Muy Señores nuestros:

Tengan el favor de facilitarnos informes detallados con respecto a ramo de negocios, reputación, y situación financiera de la firma arriba mencionada.

Por favor no se pongan en contacto con una agencia de informes.

Los informes serán utilizados discretamente, sin ninguna garantía ni responsabilidad por parte de Uds.

Agradeciendo su cooperación y ofreciéndonos con el mayor agrado para un servicio recíproco, saludamos a Uds

Mit freundlichen Grüßen / Yours faithfully / Vos dévoués / muy atentamente

BAYERISCHE VEREINSBANK

0 448 265 /(1-2) - 5 - 4.82

## 6.3 Briefbausteine

Die auf dem beiliegenden Blatt genannte Firma, mit der wir wegen eines größeren Auftrags verhandeln, hat Sie als Referenz genannt.

Da uns diese Firma unbekannt ist, ...

Da wir mit dieser Firma bisher nicht in Geschäftsverbindung standen, ...

... wären wir Ihnen für möglichst genaue Auskunft über ... dankbar.

Ist ein Kredit bis zu einer Höhe von ... Ihrer Ansicht nach vertretbar?

... bitten wir Sie, uns mitzuteilen, ob wir der Firma nach Ihren Erfahrungen einen Kredit in Höhe von ... einräumen können.

Wir danken Ihnen für Ihre Gefälligkeit und versichern Ihnen, daß wir Ihre Auskunft streng vertraulich behandeln werden.

Wir versichern Ihnen, daß wir Ihre Auskunft als streng vertraulich und für Sie unverbindlich behandeln werden.

## 6.4 Übungen

### 6.4.1 Briefreihe I

Bevor Cora S.p.A. ihr Angebot abgibt, bittet sie ihre Bank, die Banca Commerciale Italiana, von der Dresdner Bank in München eine Auskunft über Hartmann & Co. einzuholen. Entwerfen Sie die fernschriftliche Anfrage, die die Banca Commerciale Italiana auf diese Bitte hin am 10.9. an die Dresdner Bank richtet.

### 6.4.2 Pineau & Fils, Straßburg (Frankreich), an Steiner & Co., Aachen

Pineau & Fils, Hersteller von elsässischen Backwaren, hat von Gebr. Hausmann einen Auftrag in Höhe von 150 000 FF erhalten. Die deutsche Firma, die weitere Geschäfte in Aussicht gestellt hat, beansprucht 60 Tage Ziel. Als Referenz nennt sie u.a. Steiner & Co. in Aachen, einen Lieferanten, von dem sie schon seit längerer Zeit Waren bezieht. Pineau holt von dieser Firma eine Auskunft ein.

## 7.1 Einleitung

Eine Firma ist natürlich nicht verpflichtet, anderen Firmen Kreditauskünfte zu erteilen. Im allgemeinen werden solche Auskünfte aber nicht verweigert, da sie zu den im Geschäftsverkehr üblichen gegenseitigen Hilfeleistungen gehören. (Die Verweigerung einer Auskunft kann in bestimmten Fällen auch als diskrete negative Aussage gewertet werden.) Banken beschaffen Kreditinformationen im Ausland über ihre dortigen Niederlassungen oder Korrespondenzbanken. Wirtschaftsauskunfteien erteilen gegen Entgelt detaillierte Auskünfte als Einzelauskünfte oder im Abonnement.

Auskünfte werden meist ohne Verbindlichkeit erteilt, d.h. der Auskunftgebende schließt seine Haftung für Folgen seiner Auskunft aus. (Die Haftung für vorsätzlich falsch erteilte Auskünfte kann jedoch nicht ausgeschlossen werden; wer entgeltliche Auskünfte gibt, haftet darüber hinaus auch für Fahrlässigkeit.) Der Auskunftsempfänger wird in der Regel um vertrauliche Behandlung der Auskunft gebeten.

## 7.2 Musterbriefe

### 7.2.1 Briefreihe I

Die Dresdner Bank in München beantwortet die Anfrage der Banca Commerciale Italiana per Telex wie folgt:

TELEX SNEEUWWIT TELEX SNOW WHITE TELEX SCHNEEWEISS

043 223116 bci
2139 - 2296

12.09.19-- 10.12

sehr geehrte damen und herren,

auf ihre anfrage wegen hartmann u. co. teilen wir ihnen folgendes mit:

die angefragte ist eine offene handelsgesellschaft, die damenoberbekleidung herstellt und vertreibt. die gesellschafter sind johann hartmann und karl rahner. johann hartmann ist leiter der fertigung, karl rahner der kaufmaennische leiter.

die liquiditaet wird sorgfaeltig gepflegt, so dass die im warenumschlag anfallenden kurzfristigen verbindlichkeiten ordnungsgemaess erfuellt werden koennen. wir stehen der firma mit teilweise gesicherten mittleren kontokorrent- und diskontkrediten zur verfuegung, die sehr beweglich in anspruch genommen werden.

TELEX SNOW WHITE SCHNEEWEISS TELEX SNEEUWWIT TELEX

im letzten jahr wurde ein umsatz von ca ...dm erzielt.
in anbetracht der derzeitigen marktverhaeltnisse ist
die beschaeftigungslage gut. die zukunftsaussichten
werden zuversichtlich beurteilt.

wir erteilen diese auskunft vertraulich und ohne jede
verbindlichkeit.

mfg

dresdner bank muenchen
johanna schreiner

043 223116 bci
2139 - 2296

### 7.2.2 Briefreihe II

ELAG erteilt Bauer Electronic GmbH per Telefax die gewünschte Auskunft über Klein y Cía. Ltda.:

**TELEFAX**

**VON:** ELAG, Frankfurt/Main
Telefax-Nr. (069) 4 93 90 62

**AN:** Bauer Electronic GmbH
Stuttgart
Telefax-Nr. (0711) 72 46 45

**Datum:** 28.03.19-- **Zahl der übermittelten Seiten:** 1

Sehr geehrte Damen und Herren,

auf Ihre Anfrage vom 26.03. wegen Klein y Cía. Ltda., San José (Costa Rica), können wir Ihnen folgendes mitteilen:

Die oben genannte Firma besteht seit ca. 25 Jahren. Der derzeitige Eigentümer, Arturo Klein, ist Sohn des Gründers, Hermann Klein, eines Deutschen, der kurz nach dem Krieg nach Costa Rica ausgewandert ist.

Arturo Klein ist ein tüchtiger und geschickter Unternehmer, der sein Geschäft in den letzten Jahren modernisiert und erweitert hat. Derzeit werden 35 Personen beschäftigt; der Umsatz beläuft sich auf ca. ... pro Jahr. Soweit wir dies von hier beurteilen können, ist die finanzielle Lage der Firma gut. Trotzdem möchten wir Ihnen wegen der unsicheren Verhältnisse in Mittelamerika raten, auf Eröffnung eines unwiderruflichen und bestätigten Akkreditivs zu bestehen.

Wir hoffen, Ihnen mit dieser Auskunft gedient zu haben, die wir Ihnen vertraulich und ohne Verbindlichkeit erteilen.

Mit freundlichen Grüßen
ELAG
ppa. Dr. Hahn ppa. Geroldt

### 7.2.3 Ungünstige Auskunft

Sehr geehrte Frau Dubois,

wir stehen mit der in Ihrem Schreiben vom 20. Juni genannten Firma seit 2 Jahren in Geschäftsverbindung. Sie hat anfänglich ihre Rechnungen stets pünktlich bezahlt. In den letzten 6 Monaten gingen die Zahlungen jedoch oft erst nach mehrmaligem Mahnen ein. Die Gründe für die schleppende Zahlungsweise sind uns nicht bekannt, wir haben jedoch beschlossen, die Firma künftig nur noch gegen Vorauszahlung oder Nachnahme zu beliefern. In Anbetracht dieser Sachlage möchten wir zur Vorsicht raten.

Bitte behandeln Sie diese Auskunft, für die wir jede Haftung ablehnen, als streng vertraulich.

Mit freundlichen Grüßen

## 7.3 Briefbausteine

*Günstige Auskunft*

---

Die von Ihnen genannte Firma genießt einen ausgezeichneten Ruf.

---

Seit 5 Jahren zählt die Firma zu unseren regelmäßigen Kunden.

---

Ich stehe mit der Firma seit über 10 Jahren in Geschäftsverbindung und habe ihr Kredite bis zu ... gewährt.

---

Die Geschäftsverbindung war immer angenehm.

---

Die Firma verfügt über beträchtliche finanzielle Mittel / ... ist ihren Zahlungsverpflichtungen stets pünktlich nachgekommen.

---

Unseres Erachtens können Sie den gewünschten Kredit ohne Bedenken gewähren.

---

*Ungünstige Auskunft*

---

In Beantwortung Ihres Schreibens müssen wir Ihnen leider mitteilen, daß es uns nicht ratsam erscheint, der von Ihnen genannten Firma Kredit zu gewähren.

---

Wir haben den Eindruck, daß die Firma mit Absatzschwierigkeiten zu kämpfen hat.

---

Durch den Konkurs eines ihrer Hauptabnehmer sind der Firma beträchtliche Verluste entstanden.

---

Die Firma scheint sich in einer schwierigen finanziellen Lage zu befinden.

---

In Anbetracht der undurchsichtigen Lage möchten wir die Einholung einer detaillierten Auskunft von einer Wirtschaftsauskunftei vorschlagen.

---

## 7.4 Übungen



### 7.4.1 Jiménez e Hijos, Barcelona, an Gutmann & Co., Paderborn

Jiménez e Hijos teilt Gutmann & Co. auf eine Hernández Hermanos betreffende Anfrage folgendes mit: Angefragte seit längerer Zeit bekannt – gut fundiertes Außenhandelsunternehmen, das für eigene Rechnung und als Vertreter für einige namhafte ausländische Gesellschaften tätig ist – Inhaber sind tüchtige und zuverlässige Kaufleute, die über ausgedehnte Geschäftsbeziehungen verfügen – Verbindlichkeiten wurden stets prompt erfüllt – gewünschter Kredit kann nach Ansicht von Jiménez ohne Bedenken gewährt werden – vertrauliche Behandlung erbeten – Haftung wird nicht übernommen

### 7.4.2 Handelsauskunftei Müller, Hamburg, an Cranston Commercial Agency, Toronto

Müller erhält eine Anfrage von Cranston wegen Robel & Co. GmbH, Lübeck. Entwerfen Sie die Auskunft nach folgenden Stichwortangaben:

1970 als oHG unter der Firma Robel & Co. gegründet – 1975 Umwandlung in eine GmbH – 1977 übernimmt der Gründer, Caspar Robel, sämtliche GmbH-Anteile – ausgezeichneter Ruf des Unternehmens bis zum Tode des Gründers vor 4 Jahren – seit Übernahme der Geschäftsführung durch seinen Sohn und Alleinerben, Oswald Robel, zunehmende finanzielle Schwierigkeiten – Mangel an liquiden Mitteln verhindert dringend notwendige Neuinvestitionen – Lieferanten klagen über schleppenden Zahlungseingang

## 8.1 Einleitung

Nach Versand der Ware sendet der Lieferant seinem Kunden eine Versandanzeige, meist zusammen mit der Rechnung (oder einer Rechnungskopie). Wenn die Rechnung so rechtzeitig übersandt wird, daß sie vor der Ware beim Kunden ankommt, kann sie auch als Versandanzeige dienen. Soll der Käufer einen Wechsel akzeptieren, so wird ihm dieser mit einer kurzen Mitteilung, der Trattenankündigung (Trattenavis), übersandt. Manchmal muß der Käufer auch benachrichtigt werden, sobald die Ware fertiggestellt oder versandbereit ist. Die Rechnung (Handelsrechnung, Faktura) gibt den Betrag an, den der Käufer zahlen muß. Da sie im Einfuhrland auch für amtliche Zwecke (Zollabfertigung) benötigt wird, muß sie genau den Vorschriften des betreffenden Landes entsprechen. Nach diesen Vorschriften kann z.B. verlangt sein: die Angabe bestimmter Einzelheiten, eine bestimmte Anzahl von Exemplaren, eine Erklärung des Exporteurs (Bestätigung der Richtigkeit der Rechnung, Ursprungserklärung) und die Beglaubigung der Rechnung durch die Handelskammer oder das Konsulat.

**Luftfracht**

*Verpackung*

Für die innere Verpackung werden Kraftpapier, Wellpappe, Schachteln, Folien, Schaumstoff-Formteile usw. verwendet. Die äußere Verpackung kann aus Kisten, Lattenverschlägen und Kartons (siehe nachstehende Abbildungen) bestehen.

Die Außenverpackung soll die Ware während des Transports vor Beschädigung und Beraubung schützen. Bei Seeversand ist seemäßige Verpackung erforderlich, an deren Festigkeit besonders hohe Anforderungen gestellt werden. Bei der Verpackung von Exportgütern muß der Exporteur die Anweisungen des Käufers und die behördlichen Vorschriften des Einfuhrlandes genau beachten.

Versandbehälter:

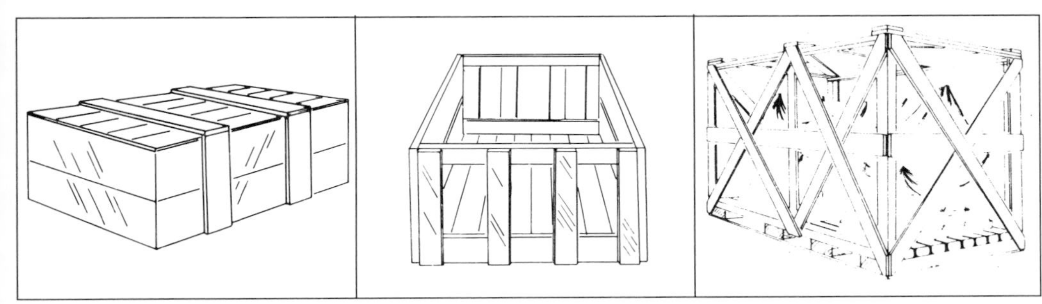

Holzkiste | Lattenkiste | Lattenverschlag

Karton | Ballen | Sack

Trommel | Faß | Container

*Kollo-Markierung*

Die Markierung (Beschriftung) der Kolli, d.h. der Packstücke, ist notwendig, damit die Sendung ihren Bestimmungsort auf dem vorgeschriebenen Weg erreicht, kein Teil der Sendung fehlgeleitet wird oder verlorengeht und die Sendung sachgemäß behandelt wird. Wie bei der Verpackung sind auch bei der Markierung die Anweisungen des Käufers und die Vorschriften des Einfuhrlandes zu beachten.

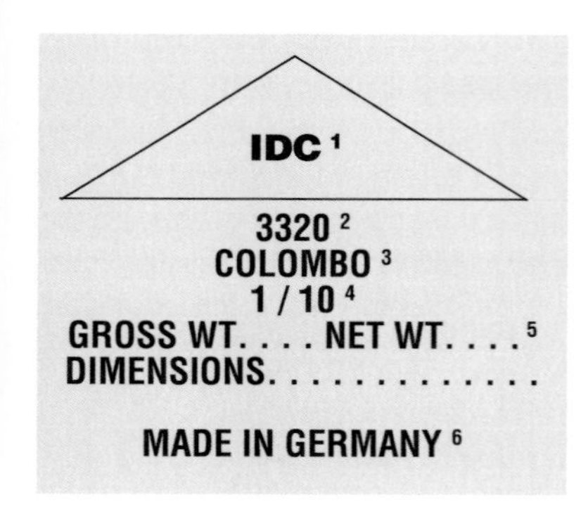


1 Kennmarke des Empfängers
2 Auftragsnummer
3 Bestimmungshafen
4 Nummer des Kollos und Gesamtzahl der Kolli
5 Gewicht und Ausmaße (nicht immer erforderlich)
6 Ursprungsbezeichnung (nicht immer erforderlich)

Vorsichtsmarkierungen:

Entzündbare Flüssigkeit | Vorsicht Glas – Zerbrechlich | Vor Nässe schützen

Vor Hitze schützen | Oben | Nicht haken

### 8.2.1 Briefreihe II, e (← 5.2.1, → 9.4.1)

Señor
Arturo Klein
Klein y Cía. Ltda.
Apartado 3767
San José
Costa Rica

08.06.19--

Versandanzeige

Sehr geehrter Herr Klein,

die von Ihnen am 18.04. bestellten Radiorecorder und Auto-CD-Spieler sind heute in Hamburg mit MS "Laura" verladen worden, das voraussichtlich am 28.06. in Puerto Limón eintreffen wird. Die Sendung besteht aus 10 Kolli, die gemäß Ihren Anweisungen wie folgt markiert sind:

KCL
1-10
San José via
Puerto Limón
Costa Rica

Die Kolli 1-5 enhalten die CD-Spieler, die Kolli 6-10 die Radiorecorder. Das Nettogewicht der einzelnen Geräte sowie das Bruttogewicht und der Inhalt eines jeden Kollos sind in der Handelsrechnung angegeben, von der wir einen Durchschlag beilegen.

Den vollständigen Satz Versanddokumente haben wir unserer Bank zur Einlösung des Akkreditivs übergeben.

Wir hoffen, daß die Sendung wohlbehalten ankommen wird, und würden uns freuen, bald weitere Aufträge von Ihnen zu erhalten.

Mit freundlichen Grüßen
Bauer Electronic GmbH
ppa. Schmitt i.A. Lauer

Anlage

## 8.2.2 Containerversand

F.X. NACHTMANN
BLEIKRISTALLWERKE GMBH.

NACHTMANN GMBH - 92660 NEUSTADT A.D WALDNAAB

Bultman Whittaker Inc.
655 Clairmont Avenue
Providence, RI 02907
U.S.A.

Attention: Mr. John Weinman

| IHRE NACHRICHT VOM | IHRE ZEICHEN | UNSER ZEICHEN | TAG |
|---|---|---|---|
| | | AA/Re | 5. Juli 19-- |

Sehr geehrter Herr Weinman,

wie wir Ihnen bereits per Telex mitgeteilt haben, sind inzwischen zwei weitere Container von unserem Hauptwerk in Neustadt an Sie abgegangen. Die entsprechenden Rechnungen vom 20. und 23. Juni legen wir diesem Schreiben bei. Außerdem erhalten Sie als Anlage unsere Lastschriftanzeige über DM 654.33 für die im Zusammenhang mit Container Nr. USLU625 745-5 angefallenen besonderen Verpackungskosten.

Wir hoffen, daß die Containerladungen wohlbehalten bei Ihnen ankommen, und erwarten Ihre Empfangsanzeige.

Mit freundlichen Grüßen

F.X. NACHTMANN GmbH.

Anlage

| TELEFON: | TELEX: | TELEFAX: | TELEGRAMME: | BANK: | Konto-Nr.: | Bankleitzahl: |
|---|---|---|---|---|---|---|
| (09602) 30-0 | 63 817 nacht d | 30-100 | Nachtmann GmbH Neustadt-Waldnaab | Postscheckamt Nürnberg | 416-859 | 760 100 85 |
| | | | | Deutsche Bank, Fil. Nürnberg | 270 207 | 760 700 12 |
| | | | | Bayer. Vereinsbank Weiden | 177 1000 | 753 200 75 |

A. G. Reg. Ger. Weiden i. d. OPf. HR B 413. Sitz Neustadt a. d. Waldnaab, Geschäftsführer: Toni Frank , Walter Frank. Aufsichtsratsvorsitzender: Anton Frank sen.

### 8.2.3 Luftversand

Sehr geehrter Herr O'Connor,

die von Ihnen vor zwei Wochen telefonisch bestellten Teile sind inzwischen in Frankfurt eingetroffen. Sie wurden heute der Deutschen Lufthansa zum Weitertransport nach Dublin übergeben und sollten im Laufe des morgigen Tages durch den Luftfrachtspediteur ausgeliefert werden.

Die Handelsrechnung über … US Dollar legen wir bei. Da es sich bei den Waren nicht um Gemeinschaftswaren handelt, wurden sie zum externen gemeinschaftlichen Versandverfahren (T1-Verfahren) abgefertigt, wobei das Einheitspapier als Versandschein T1 dient.

Wir dürfen Sie bitten, den Rechnungsbetrag, wie vereinbart, innerhalb 30 Tagen auf unser Konto bei der Dresdner Bank in Hanau zu überweisen.

Mit freundlichen Grüßen

Anlage

### 8.2.4 Versandanzeige und Trattenavis

Sehr geehrte Frau Christiansen,

die von Ihnen am 08.07. bestellte Presse ist heute per Bahn an Sie abgegangen. Über den Betrag unserer Rechnung in Höhe von ... DM haben wir, wie gewünscht, auf Sie einen Wechsel per 60 Tage Sicht gezogen. Rechnung und Tratte legen wir diesem Schreiben bei. Bitte senden sie uns die Tratte sobald wie möglich mit Ihrem Akzept versehen zurück.

Mit freundlichen Grüßen

Anlagen

## 8.2.5 Exportfaktura

Gebr. Märklin & Cie. GmbH Göppingen

märklin

Telefon (07 161) 6 08-1
Telex 7 27 784
Telefax (07 161) 6 98 20
Telegramm: Märklin
Holzheimer Straße 8

Gebr. Märklin & Cie. GmbH 73037 Göppingen

Firma
Michel Nyssen
Jouets, Sports et Cycles SPRL
38, rue de la Station

B-4600 Chenée

Kunden-Nr.

**Rechnung**
ST

73037 Göppingen (Germany) 8. Juli 19--

Ihre Bestellung(en) vom 25. Mai 19--

Kiste(n) 1 Paket(e), gez Nr. 0450

durch Post

Gewicht brutto 9,7 kg/netto 8,1 kg

| Anzahl | Artikel-Nr. | Artikel | Einzelpreis | Betrag |
|---|---|---|---|---|
| 2 | 3100 | Berliner Loks | 000,00 | 000,00 |
| 5 | 4183 | S-Bahn-Wagen | 00,00 | 000,00 |
| 5 | 4184 | S-Bahn-Wagen | 00,00 | 000,00 |
| 3 | 4200 | Abteilwagen | 00,00 | 00,00 |
| 3 | 4201 | Abteilwagen | 00,00 | 00,00 |
| 5 | 4202 | Abteiwagen | 00,00 | 000,00 |
| 2 | 4203 | Abteilwagen | 00,00 | 00,00 |
| 4 | 4748 | Gaskesselwagen | 00,00 | 00,00 |
| 29 | | | | DM 0000,00 |
| | | Porto | | 00,00 |
| | | | | DM 0000,00 |
| | | | | ========= |

Zahlung 15 Tage ab Rechnungsdatum: 5% Skonto
Zahlung 30 Tage ab Rechnungsdatum: 2% Skonto
Zahlung 60 Tage ab Rechnungsdatum: rein netto

Ihre N°TVA: BE0000000000
Unsere Ust-IdNr.: DE0000000000

Die Lieferung wurde nach § 6a UstG als steuerfreie innergemeinschaftliche Lieferung behandelt.

Die Lieferung erfolgt auf Grund unserer Ihnen bekannten Bedingungen. Erfüllungsort für Lieferung und Zahlung ist Göppingen. Beanstandungen nur innerhalb 8 Tagen

130 690 Deutsche Bank Göppingen
S.W.I.F.T.-Code: DEUT DE SG
2 028 153 Dresdner Bank AG Göppingen
S.W.I.F.T.-Code: DRES DE FF 610

237 Kreissparkasse
Göppingen BLZ 610 500 00
1250Gebr. Martin Bank
Göppingen BLZ 610 300 00

610 07450 Landeszentralban
Göppingen BLZ 610 000 00
1141-700 Postgiro Stuttgart
BLZ 610 100 70

Amtsgericht
Göppingen HRB 4
Sitz der Gesellschaft:
Göppingen

## 8.3 Briefbausteine

Die von Ihnen am ... bestellten Waren wurden heute mit MS „Martha“ in Hamburg verladen / ... haben wir heute als Postgut an Sie abgesandt.

Wir sandten Ihnen heute auf Ihre Rechnung und Gefahr ...

Wir legen unsere Rechnung über ... bei. Der Rechnungsbetrag wird durch unseren Spediteur eingezogen.

Bitte überweisen Sie den Rechnungsbetrag auf unser Konto bei der Deutschen Bank in Stuttgart.

Wir haben Ihr Konto mit dem Betrag der beigefügten Rechnung belastet.

Wir hoffen, daß die Sendung wohlbehalten / in gutem Zustand bei Ihnen eintrifft.

Wir sind überzeugt, daß die Artikel guten Absatz finden werden und würden uns freuen, bald weitere Aufträge von Ihnen zu erhalten.

## 8.4 Übungen

### 8.4.1 Briefreihe I, f (← 5.4.1, → 9.2.1)

Am 15.12. teilt Cora S.p.A. der Firma Hartmann mit, daß sie die 50 Ballen Stoff ihrem Spediteur, F.lli Avandero, übergeben hat. Sie legt ihrem Schreiben einen Durchschlag ihrer Rechnung über ... Lit bei. Die Originalrechnung, in der die Beförderungskosten ab deutscher Grenze bis München gesondert aufgeführt sind, wird der italienische Spediteur der Firma Laderinnung, Gutleben & Weidert Nachf., in München aushändigen.

### 8.4.2 Briefreihe III, d (← 5.4.2)

Am 20.12. informiert die Firma Massoud & Co., Ltd. ihren Kunden in Bremen, Holtmann & Co., von der Verladung der 200 Sack Kaffee laut Kontrakt Nr. 6779 mit MS „Zonnekerk“, das am 21.12. ausläuft. Sie legt eine Kopie der Handelsrechnung über ... £ bei. Die Versanddokumente (Handelsrechnung, voller Satz reiner Bordkonnossemente, Gewichtsnota und Kaffee-Ursprungszeugnis) hat sie zusammen mit einer Sichttratte ihrer Bank zur Weiterleitung an die Commerz- und Diskontbank Bremen übergeben, die das Inkasso vornehmen wird. Massoud hofft, daß die Sendung wohlbehalten ankommen und zur vollen Zufriedenheit des Käufers ausfallen wird.

### 8.4.3 Briefreihe V, c (← 5.4.3, → 12.2.1)

Die Firma Petersen sendet Günther Friedrich KG am 16.6. ihre Rechnung über ... dkr und teilt mit, daß die bestellten Möbel, verpackt in 5 Kartons, der Bahn übergeben worden sind.

## 9.1 Einleitung

Eine Bestätigung des Empfangs der Ware ist in der Regel nur dann erforderlich, wenn der Lieferant darum gebeten hat. Die Zahlungsanzeige (Zahlungsavis) ist die Mitteilung über die Zahlungsregelung. Sie kann ein separates Schreiben sein oder mit der Bestellung (bei Vorauszahlung) oder der Empfangsbestätigung für die Ware verbunden werden. Falls der Käufer einen Wechsel erhalten hat, sendet er ihn mit seinem Akzept zurück.

## 9.2 Musterbriefe

### 9.2.1 Briefreihe I, g (← 8.4.1)

Nach Eingang und Prüfung der gelieferten Ware sendet Hartmann & Co. der italienischen Lieferfirma eine Empfangsbestätigung mit Zahlungsanzeige.

Spett. ditta
Cora S.p.A.
All' attenzione della Signora Martinelli
Direttrice delle vendite
Piazza Vecchia

I-13051 Biella

18.12.19--

Sehr geehrte Frau Martinelli,

die am 15.12. angekündigte Sendung ist gestern wohlbehalten bei uns eingetroffen. Wir danken Ihnen für die prompte Erledigung unserer Bestellung. Wie wir bei der Prüfung feststellen konnten, sind die gelieferten Stoffe mustergetreu.

Wir haben heute unsere Bank angewiesen, den Betrag Ihrer Rechnung in Höhe von ... Lit abzüglich 3 1/2% Skonto auf Ihr Konto bei der Banca Commerciale Italiana in Biella zu überweisen.

Sobald wir weitere Wollstoffe benötigen, werden wir uns wieder an Sie wenden.

Mit freundlichen Grüßen
Hartmann & Co.
Karl Rahner

## 9.2.2 Rücksendung des akzeptierten Wechsels

Sehr geehrter Herr Capan,

die mit Ihrem Schreiben vom 10.09. angekündigte Sendung ist inzwischen bei uns eingetroffen.

Ihren Wechsel über ... DM, Order eigene, fällig am 10.12., senden wir Ihnen mit unserem Akzept versehen zurück. Wir haben ihn bei unserer Bank zahlbar gestellt. Für prompte Einlösung bei Verfall werden wir Sorge tragen.

Mit freundlichen Grüßen

Anlage

„Schon wieder die Rechnungsnummer vergessen!"

### 9.2.3 Zahlungsanzeige

F. Ludwig Kübler

DAS GROSSE STOFF-SPEZIALHAUS

F. L. KÜBLER · KAUFINGERSTR. 30 · 80331 MÜNCHEN

Pey,Forest & Cie.
2-3,Quai Jean-Moulin

F-1000 Lyon 1er

80331 MÜNCHEN
Kaufingerstraße 30
Fernsprecher Nr. 0 89 / 22 52 65
Fernschreiber: 05 - 22671
Drahtwort: STOFFKÜBLER
Postscheck: München 193 25-802
Bank: Dresdner Bank AG. München
BLZ 700 800 00, Kto. 3 714 524

Datum: 21.09.19..

Zeichen: sch-ru

Buchhaltung

Sehr geehrte Damen und Herren,

auf Grund Ihres Schreiben vom 14.09.19.. senden wir Ihnen wunschgemäß eine genaue Aufstellung über unsere Banküberweisung vom 14.08.19..

| | | | |
|---|---|---|---|
| Rechnung Nr. 12 046 v.29.03.19.. | DM 698.40 | | |
| ./.Retoure Nr. 5 291 v.04.08.19.. | DM 67.08 | | |
| ./.Deb.Nota Nr. 4 982 v.14.04.19.. | DM 12.10 | | |
| ./.Deb.Nota Nr. 4 984 v.14.04.19.. | DM 124.93 | | |
| ./.Deb.Nota Nr. 4 689 v.03.04.19.. | DM 95.59 | | |
| | DM 398.70 | | |
| ./.3 1/2 % Skonto | DM 13.95 | | |
| | | | DM 384.75 |
| Rechnung Nr. 12 284 v.13.04.19.. | DM 667.68 | | |
| ./.3 1/2 % Skonto | DM 23.37 | | |
| | | | DM 644.31 |
| Rechnung Nr. 12 471 v.27.04.19.. | DM 322.08 | | |
| ./.Deb.Nota Nr. 5 163 v.02.05.19.. | DM 41.31 | | |
| | DM 280.77 | | |
| ./.3 1/2 % Skonto | DM 9.83 | | |
| | | | DM 270.94 |
| Rechnung Nr. 13 160 v.07.07.19.. | DM 1213.15 | | |
| ./.3 1/2 % Skonto | DM 42.46 | | |
| | | | DM 1170.69 |
| | | Summe | DM 2470.69 |

Wir hoffen, Ihnen hiermit gedient zu haben.

Mit freundlichem Gruß
F. Ludwig K U B L E R

(Eva Schneider)

## 9.3 Briefbausteine

Die Sendung ist heute in gutem Zustand in Hamburg angekommen.

Wir legen einen Scheck über ... bei. Bitte schreiben Sie diesen Betrag unserem Konto gut.

Ich sende Ihnen mit diesem Schreiben einen Verrechnungsscheck zum Ausgleich Ihrer Rechnung Nr. 2778.

Ihren Zahlungsbedingungen entsprechend haben wir 2% Skonto abgezogen.

Als Anlage erhalten Sie unser Akzept für den Betrag Ihrer Rechnung. Prompte Einlösung bei Verfall sichern wir Ihnen zu.

Bei der Prüfung Ihrer Rechnung stellten wir fest, daß Ihnen bei der Addition ein Fehler unterlaufen ist.

Die in der Rechnung genannte Menge stimmt nicht mit der tatsächlichen Liefermenge überein.

## 9.4 Übungen

### 9.4.1 Briefreihe II, f (← 8.2.1)

Arturo Klein bestätigt am 30.6. den Eingang der in der Versandanzeige von Bauer Electronic GmbH angekündigten Sendung. Er bittet die Lieferfirma bei dieser Gelegenheit, ihn in Zukunft durch Zusendung jeweils des neuesten Katalogs über ihr Lieferprogramm auf dem laufenden zu halten. Außerdem erkundigt er sich, ob Bauer eventuell bereit wäre, ihm die Alleinvertretung für Costa Rica zu übertragen.

### 9.4.2 Neudorfer & Co., Salzburg, an Johann Holzer, München

Neudorfer & Co. begleicht die Rechnung von Johann Holzer vom 2.5. über 850,00 DM durch Scheck auf die Volksbank Salzburg, nachdem sie gemäß den vereinbarten Zahlungsbedingungen 3% Skonto abgezogen hat. Entwerfen Sie die Zahlungsanzeige.

### 9.4.3 Jan van Cleef, Antwerpen, an Müller & Co. in Bielefeld

Kontoauszug für das 2. Quartal 19-- erhalten – weist Saldo zugunsten von Müller in Höhe von DM 6523,40 aus – Prüfung hat ergeben, daß zwei Gutschriften nicht berücksichtigt wurden: Gutschrift vom 24.4. in Höhe von DM 200,00 für zurückgesandte Verpackung und Gutschrift vom 10.6. in Höhe von DM 560,70 im Zusammenhang mit der Reklamation vom 15.5. – van Cleef bittet um Prüfung und Bestätigung des berichtigten Saldos von DM 5762,70

## 10.1 Einleitung

Wenn der Lieferant nicht rechtzeitig liefert, wird er vom Käufer gemahnt. In der Mahnung fordert der Käufer den Lieferanten auf, die fällige Lieferung durchzuführen. Er kann auch eine Nachfrist für die Lieferung setzen und dem Lieferanten für den Fall, daß er diese nicht einhält, bestimmte Konsequenzen (z.B. Ablehnung der Lieferung und Rücktritt vom Vertrag) ankündigen. Falls erforderlich, erhält der Lieferant zwei oder mehr Mahnungen, wobei in der letzten dann eine Frist gesetzt wird.

Ein Lieferant, der auf eine Mahnung des Käufers, die nach dem Eintritt der Fälligkeit erfolgt, schuldhaft, d.h. aus Gründen, die er selbst zu vertreten hat, nicht liefert, kommt – wie die Juristen sagen – in Verzug. Ist der Liefertermin nach dem Kalender bestimmt, kommt der Lieferant auch ohne Mahnung in Verzug, wenn er den Termin nicht einhält. Eine Mahnung ist also in diesem Fall rechtlich nicht erforderlich (in der Praxis aber üblich). Der Lieferant kommt nicht in Verzug, solange die Lieferung infolge eines Umstandes unterbleibt, den er nicht zu vertreten hat (höhere Gewalt). Befindet er sich aber im Verzug, so haftet er auch für Beschädigung oder Vernichtung der Ware durch höhere Gewalt.

Der Käufer hat bei Lieferungsverzug das Recht, die Lieferung und (bei Verzugsschaden) zusätzlich dazu Schadenersatz wegen verspäteter Lieferung zu verlangen. Nach Ablauf einer von ihm gesetzten angemessenen Nachfrist kann er auch die Lieferung ablehnen und entweder vom Vertrag zurücktreten oder Schadenersatz wegen Nichterfüllung fordern. In dem oben erwähnten Fall, d.h. wenn das Lieferdatum kalendermäßig bestimmt ist, braucht keine Nachfrist gesetzt zu werden.

**„Wann können wir endlich mit der Lieferung der von uns bestellten Förderanlage rechnen?“**

# 10.2 Musterbriefe

## 10.2.1 Ablehnung eines vorgeschlagenen späteren Liefertermins

37883 saka e
523070z fd d

29.03.19-- 14.18

an: sakana, lacunza-navarra
herrn moreno
von: friedrich deckel ag
schaefer 2706

betr: unsere bestellung n 84462
maschinenbett 0452

wir danken fuer ihr fax von heute. der termin 20.06. ist nicht akzeptabel. wir erwarten ihre lieferung spaetestens zum 15.05., bearbeitet (inkl. haerten), jedoch ungeschliffen. wir werden die betten selbst schleifen, damit sie der montage ab 21.05. zur verfuegung stehen.

wir bitten um bestaetigung.

mfg
schaefer

37883 saka e
523070z fd d

### 10.2.2 Mahnung mit Fristsetzung

Spett. ditta
Giuliani S.r.l.
All`attenzione della Signora Coloma
Via San Paolo 15

I-20121 Milano
Italien

11.06.19--

Sehr geehrte Frau Coloma,

am 15.02. bestellte ich bei Ihnen 15 Garnituren Korbmöbel, die bis Ende April hätten geliefert werden sollen. Als ich die Lieferung am 15.05. anmahnte, erhielt ich einen Anruf von Herrn Orsetti, der fest versprach, die Korbmöbel bis 10.06. zu liefern. Auch diese Zusage wurde nicht eingehalten.

Der Lieferungsverzug bringt mich in große Verlegenheit. Es ist für mich sehr unangenehm, meine Kunden immer wieder vertrösten zu müssen. Als letzten Termin für die Lieferung setze ich nun den 10.07. fest. Sollte die Ware später eintreffen, werde ich die Annahme verweigern. Außerdem behalte ich mir das Recht vor, Sie für alle Ausfälle haftbar zu machen, die mir durch den Verlust von Kunden entstehen.

Ich bin überzeugt, daß Sie alles tun werden, um eine Beeinträchtigung unserer bisher so angenehmen Geschäftsbeziehungen zu vermeiden.

Mit freundlichen Grüßen
Italo-Möbel Grüntner oHG

### 10.2.3 Beschwerde über Rückstände bei Stofflieferungen



Sehr geehrter Herr Maillet,

obwohl wir auch für dieses Frühjahr sehr frühzeitig disponiert haben, lassen Sie uns erneut mit den Lieferungen im Stich.

Unser Auftrag Nr. 3/188 vom 29.06.19--, den Sie am 05.07.19-- bestätigten, wurde wirklich so frühzeitig erteilt, daß Sie die angegebene Lieferzeit "15.02.19--" hätten einhalten können. Trotzdem bringen Sie (Rechnung Nr. 11792 vom 16.03.) immer noch Ware zur Auslieferung. Außerdem sind noch bedeutende Rückstände offen.

Als Anlage senden wir Ihnen Debet-Nota Nr. 3642 vom 21.03., da wir die Lieferung zu der erwähnten Rechnung nur mit 10% Preisnachlaß übernehmen. Außerdem haben wir die Faktura per 05.07. valutiert.

Wir weisen darauf hin, daß wir weitere Rückstände aus dem oben angeführten Auftrag nur mit 10% Preisermäßigung und mit Valuta 05.08.übernehmen. Davon ausgeschlossen sind die Rückstände in den Artikeln 7834 und 5152 auf Blatt 4. Wir bitten Sie, diese zu streichen.

Wir bedauern sehr, daß es auch diesmal wieder zu Verzögerungen gekommen ist, und ersuchen Sie, sich genau an unsere Bedingungen zu halten, da wir sonst die Annahme aller noch rückständigen Stücke verweigern müßten.

Mit freundlichen Grüßen

Anlage

## 10.3 Briefbausteine

In unserer Bestellung haben wir ausdrücklich darauf hingewiesen, daß die Waren bis spätestens ... hier eintreffen müssen. Wir haben bisher aber noch keine Versandanzeige von Ihnen erhalten.

Obwohl Ihre Versandanzeige bereits vor 10 Tagen einging, haben wir die Lieferung bis heute noch nicht erhalten.

Ihr Lieferungsverzug bringt uns in eine schwierige Lage.

Wir müssen Sie bitten, alle unsere Bestellungen, bei denen noch Lieferrückstände bestehen, als vorrangig zu behandeln.

Teilen Sie uns bitte per Telex mit, wann die Waren verschifft werden können.

Sorgen Sie bitte dafür, daß die Ware bis ... hier eintrifft.

Wenn die Sendung nicht bis ... eintrifft, muß ich die Annahme ablehnen.

Wir sehen uns leider gezwungen, Ihnen eine Nachfrist bis ... zu setzen. Wenn wir die Ware bis dahin nicht zur Verfügung haben, werden wir unseren Bedarf anderweitig decken und Ihnen die Mehrkosten in Rechnung stellen.

Falls die Teile nicht bis ... geliefert werden, sehe ich mich gezwungen, diese von einem anderen Lieferanten zu beschaffen und Sie für etwaigen Schaden in Anspruch zu nehmen.

## 10.4 Übungen

### 10.4.1 Briefreihe IV, d (← 5.2.2, →11.2.1)

Da Dupont & Cie. S.A. am 17.1.19--, fast 5 Monate nach der Auftragsbestätigung durch die Maschinenfabrik Neumann AG, noch keine Meldung über die Versandbereitschaft der bestellten Maschine erhalten hat, erinnert Louis Lefèvre die Maschinenfabrik an die vereinbarte Lieferfrist. Er weist darauf hin, daß die Maschine dringend benötigt wird, und bittet Neumann, umgehend mitzuteilen, wann mit der Lieferung zu rechnen ist.

### 10.4.2 Bertolini & Figli, Mailand, an Förg & Co. GmbH, Augsburg

Bertolini bestellte am 12.2. (Bestellung Nr. 6712) 15 Bodenfräsen bei Förg. Vereinbarte Lieferzeit: 4 Wochen. Da die Lieferung am 25.3. noch nicht erfolgt ist, mahnt Bertolini die Lieferung an.

Die Mahnung vom 25.3. bleibt unbeantwortet. Bertolini setzt daher eine Frist bis zum 15.4. und droht damit, die Annahme der Geräte zu verweigern, wenn diese Frist nicht eingehalten wird.

Entwerfen Sie die beiden Mahnungen von Bertolini & Figli.

## 11.1 Einleitung

Wenn der Käufer eine ausstehende Lieferung anmahnt, sollte sich der Lieferant entschuldigen, die Gründe für die Verzögerung angeben und mitteilen, wann er liefern kann. Vielleicht ist es ihm auch möglich, eine Teilsendung vorzunehmen. Falls dem Lieferanten eine Nachfrist gesetzt worden ist, wird er sich bemühen, diese einzuhalten, damit ihm keine Unannehmlichkeiten entstehen. Sollte ein Fall höherer Gewalt vorliegen oder er sich aus anderen Gründen nicht in der Lage sehen, seiner Lieferverpflichtung nachzukommen, teilt er dies dem Kunden ebenfalls mit.

Grundsätzlich sollte der Lieferant bei Lieferungsverzögerungen – ganz gleich, ob er diese zu verantworten hat oder nicht – dem Kunden rechtzeitig Bescheid geben und nicht erst warten, bis er gemahnt wird. Dadurch kann er sich und dem Kunden viel Ärger ersparen.



## 11.2 Musterbriefe

### 11.2.1 Briefreihe IV,e (←10.4.1)

Monsieur le Directeur
Louis Lefèvre
Dupont & Cie. S.A.
avenue du Général Leclerc

F-93000 Pantin

21. Januar 19--

Sehr geehrter Herr Lefèvre,

wir beziehen uns auf Ihr Schreiben vom 17. Januar, in dem Sie die Lieferung der von Ihnen bestellten Fräs- und Bohrmaschine anmahnen.

Die Maschine konnte leider nicht fristgerecht fertiggestellt werden, da bestimmte Teile der elektronischen Ausrüstung nicht rechtzeitig zur Verfügung standen. Unser Zulieferer war so mit Aufträgen überhäuft, daß er nicht in der Lage war, seine Liefertermine einzuhalten. Soeben haben wir jedoch erfahren, daß die Teile an uns abgegangen sind. Die Maschine dürfte daher innerhalb der nächsten 14 Tage versandbereit sein. Das genaue Lieferdatum teilen wir Ihnen dann noch fernschriftlich mit.

Bitte entschuldigen Sie, daß wir Sie nicht schon früher von diesen Schwierigkeiten in Kenntnis gesetzt haben, aber unser Zulieferer hat uns von Woche zu Woche vertröstet.

Wir bedauern diese Verzögerung sehr und hoffen, daß sie Ihnen keine allzugroßen Unannehmlichkeiten bereitet.

Mit freundlichen Grüßen
Maschinenfabrik Neumann AG
ppa. Möller ppa. Schneider

### 11.2.2 Entschuldigung wegen verspäteter Lieferung

Sehr geehrte Frau Fernandez,

gestern erhielten wir Ihr Schreiben vom 14.03., in dem Sie sich wegen der von Ihnen am 20.02. bestellten Ersatzteile erkundigen. Bei der sofortigen Nachprüfung der Angelegenheit stellte sich heraus, daß unsere Versandabteilung aus Versehen ein späteres Lieferdatum vorgemerkt hatte.

Die Ersatzteile sind heute morgen per Luftpost an Ihre Anschrift abgegangen. Wir bitten Sie höflich, das Versehen zu entschuldigen.

Mit freundlichen Grüßen

### 11.2.3 Ankündigung einer Lieferungsverzögerung

ELS Electronic Assembly Ltd.
On Lok Yuen Bldg.
35 des Vœux Road, C

Hong Kong

Attention: Mr. Lee 15.08.19--

Sehr geehrter Herr Lee,

zu unserem Bedauern müssen wir Ihnen mitteilen, daß es uns nicht möglich ist, die von Ihnen am 02.07. bestellten Meßgeräte innerhalb der vereinbarten Frist zu liefern.

Wegen des Facharbeitermangels ist es für uns z.Z. sehr schwierig, unseren Lieferverpflichtungen nachzukommen. Wir sind jedoch nach Kräften bemüht, vor allem unsere Auslandsaufträge mit so geringer Verzögerung wie möglich auszuliefern. Obwohl wir erwarten, daß es uns gelingen wird, unseren Auftragsrückstand in etwa 4 Wochen aufzuarbeiten, ist doch damit zu rechnen, daß sich maximal Verzögerungen bis zu 6 Wochen ergeben. Wir wären Ihnen daher sehr dankbar, wenn Sie durch Ihre Bank die Verlängerung des zu unseren Gunsten eröffneten Akkreditivs um 6 Wochen veranlassen könnten.

Es tut uns sehr leid, Ihnen Unannehmlichkeiten verursachen zu müssen, und wir bitten Sie um Verständnis für unsere schwierige Lage. Um das leidige Problem der Lieferverzögerungen aus der Welt zu schaffen, werden wir demnächst weitere Teile unserer Fertigung automatisieren. Bis dahin müssen wir Sie um Geduld und Nachsicht bitten.

Mit freundlichen Grüßen
Schwaiger Meßtechnik AG

## 11.3 Briefbausteine

Wir bedauern sehr, daß wir wegen Schwierigkeiten bei der Materialbeschaffung den vereinbarten Liefertermin nicht einhalten konnten. Die Schwierigkeiten sind nun behoben, so daß die Lieferrückstände innerhalb der nächsten 14 Tage aufgeholt werden können.

Die Verzögerung ist auf die außergewöhnlich lebhafte Nachfrage in den letzten Monaten zurückzuführen.

Da ein Fall höherer Gewalt vorliegt, müssen wir es ablehnen, für den Ihnen entstandenen Schaden aufzukommen.

Nach Eingang Ihres Schreibens setzten wir uns sofort mit der Reederei in Verbindung und erfuhren dort, daß MS „Christine" wegen eines Maschinenschadens nicht auslaufen konnte.

Sie können versichert sein, daß wir alles tun werden, die Fertigstellung der Geräte zu beschleunigen / ... die Geräte bis zum ... zur Verschiffung bereitzustellen.

Artikel Nr. 1267 können wir Ihnen bereits in den nächsten Tagen liefern. Die übrigen Artikel erhalten Sie in ca. 10 Tagen.

Wir bedauern, Ihnen mitteilen zu müssen, daß sich die Auslieferung Ihres Auftrags verzögern wird.

Wegen eines wilden Streiks ist es uns leider nicht möglich, den vereinbarten Liefertermin einzuhalten.

## 11.4 Übungen

### 11.4.1 Oliveira & Irmãos, Coimbra, an A.L. Kallmann KG, München

Oliveira & Irmãos, Hersteller von Glas- und Keramikwaren, erhält ein Schreiben von A.L. Kallmann KG, in der diese eine Sendung anmahnt, die bereits Mitte April hätte geliefert werden sollen.

In ihrer Antwort entschuldigt sich die portugiesische Firma und weist darauf hin, daß sie wegen des Ausfalls eines Brennofens in Schwierigkeiten geraten ist. Sie kann aber einen Teil der bestellten Waren in der nächsten Woche liefern. Die Restlieferung erfolgt voraussichtlich in 14 Tagen.

### 11.4.2 OY Lahtinen AB, Helsinki, an Kleiber & Co., Bremen

Kleiber bestellte vor 2 Monaten Saunas aus Fertigteilen; vereinbarte Lieferzeit: 6 Wochen – derzeit Streik in der holzverarbeitenden Industrie Finnlands – Verhandlungen mit den Gewerkschaften sehr schwierig – Ende des Streiks noch nicht absehbar – bei längerer Streikdauer könnte sich die Fertigstellung der Saunas verzögern

## 12.1 Einleitung

Kaufleute sind rechtlich verpflichtet, eingehende Waren unverzüglich zu prüfen und festgestellte Mängel unverzüglich zu rügen. (Versteckte Mängel sind unverzüglich nach Entdeckung, auf jeden Fall aber vor Ablauf von 6 Monaten oder der vereinbarten Gewährleistungsfrist zu rügen.) Man unterscheidet folgende Arten von Mängeln:

- Mängel in der Art (falsche Ware)
- Mängel in der Güte oder Beschaffenheit (Qualitätsmängel, beschädigte oder verdorbene Ware)
- Mängel in der Menge (Mehr- oder Minderlieferung).

Mängel „rügen" bedeutet, sich über diese zu beschweren. Die Beschwerde (Beanstandung, Reklamation) wird im Handelsrecht als *Mängelrüge* bezeichnet.

Wenn der Käufer rechtzeitig eine Mängelrüge erteilt hat, kann er wahlweise verlangen:

- Wandlung (Rückgängigmachung des Vertrags)
- Minderung (Preisnachlaß)
- Ersatzlieferung (Umtausch) bzw. Nachbesserung (Reparatur)
- (in bestimmten Fällen) Schadenersatz wegen Nichterfüllung

Welche Regelung der Käufer verlangt, hängt von den jeweiligen Umständen ab: Unbrauchbare Ware stellt er dem Lieferanten wieder zur Verfügung. Ist er noch an einer Lieferung interessiert, verlangt er Umtausch, sonst tritt er vom Vertrag zurück oder fordert Schadenersatz (z.B. wenn der Ware eine zugesicherte Eigenschaft fehlt). Bei kleineren Mängeln behält er die Ware, verlangt aber einen Preisnachlaß. Mängel an technischen Produkten können meist durch Reparatur oder den Austausch von Teilen behoben werden.

Im Handelsverkehr werden die gesetzlichen Gewährleistungsansprüche des Käufers häufig durch vertragliche Regelungen (Garantieklauseln) ersetzt. Diese sehen die kostenlose Beseitigung von Material- und Verarbeitungsfehlern vor, die innerhalb der Garantiezeit auftreten.

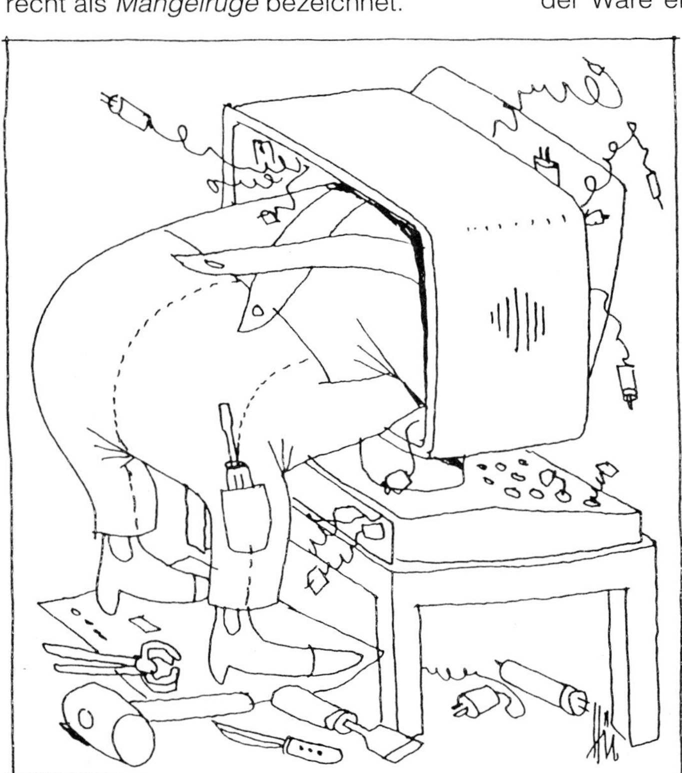

**„Die mangelhafte Qualität des von Ihnen gelieferten Geräts erfordert immer wieder umfangreiche Reparaturen."**

## 12.2 Musterbriefe

### 12.2.1 Briefreihe V, d (← 8.4.3, → 13.4.1)

Peter Petersen A/S
DK-8800 Viborg

20.6.19--

Bestellung Nr. 4679

Sehr geehrter Herr Petersen,

die unter obiger Nummer bestellten Möbel - 2 Tische Nr.234, Eiche geräuchert, und 8 Stühle Nr. 236, Eiche geräuchert, schwarze Ledersitze - haben wir heute erhalten.

Leider mußten wir beim Auspacken der Stühle feststellen, daß 4 der Ledersitze stark verkratzt waren. Unser Kunde lehnt es ab, die Stuhlsitze in diesem Zustand abzunehmen. Wir bitten Sie deshalb, uns umgehend 4 Ersatzstücke zuzusenden, wenn möglich per Expreß.

Bitte teilen Sie uns mit, was wir mit den verkratzten Sitzen machen sollen.

Mit freundlichen Grüßen
Günther Friedrich KG

### 12.2.2 Beschwerde wegen teilweiser Falschlieferung und Glasfehlern

Sehr geehrter Herr Navratil,

wir bestätigen den Empfang Ihrer Sendung vom 17.07., müssen Ihnen aber zu unserem Bedauern mitteilen, daß Sie zu den 250 grünen Suppentassen dunkelblaue Untertassen geliefert haben. Außerdem weisen 215 der 500 Whisky-Gläser kleine Bläschen im Glas auf.

Die dunkelblauen Untertassen stellen wir Ihnen zur Verfügung und bitten Sie, uns statt dessen so bald wie möglich 250 grüne Untertassen zu senden. Whisky-Gläser mit Fehlern können wir nur zu erheblich reduziertem Preis absetzen. Wir sind daher nur bereit, die Gläser zu behalten, wenn Sie den Preis um 50% ermäßigen. Anderenfalls müßten wir die Annahme der fehlerhaften Gläser ablehnen.

Für Ihre umgehende Stellungnahme wären wir dankbar.

Mit freundlichen Grüßen

### 12.2.3 Beschwerde wegen Fehlmenge – Kürzung der Rechnung

Sehr geehrte Frau Marcelli,

auf unsere Bestellung Nr. 8721 über 150 Flaschen Kräuteressig vom 01.07. erhielten wir heute durch Ihren Spediteur 5 Kartons mit je 25 Flaschen. Wie wir anhand Ihrer Rechnung feststellen, haben Sie uns aber nicht 125, sondern 150 Flaschen berechnet. Anscheinend ist Ihnen hier ein Versehen unterlaufen. Wir ließen uns die Minderlieferung von 25 Flaschen von Ihrem Spediteur bestätigen. Eine Kopie seiner Bestätigung legen wir bei.

Wir haben Ihre Rechnung um den Wert der fehlenden Flaschen - ... Lit - gekürzt und senden Ihnen einen Scheck über den Restbetrag von ... Lit.

Mit freundlichen Grüßen

Anlagen

## 12.3 Briefbausteine

Wir müssen Ihnen leider mitteilen, daß Ihre letzte Sendung nicht zu unserer Zufriedenheit ausgefallen ist.

Bei der Prüfung der Sendung stellte ich fest, daß ... fehlten / beschädigt waren.

Wir haben ein Fehlgewicht von ... kg festgestellt.

Ein Teil der Waren ist auf dem Transport beschädigt worden.

Der Schaden ist anscheinend auf ungenügende Verpackung zurückzuführen.

Wir stellen Ihnen die mangelhaften Waren zur Verfügung.

Wir sind bereit, die Waren zu behalten, wenn Sie uns einen Nachlaß von 20% gewähren.

Bitte senden Sie uns so bald wie möglich Ersatz für die beschädigten Waren.

Wir behalten uns das Recht vor, Ersatz für den uns entstandenen Schaden zu fordern.

Die Angelegenheit hat uns große Unannehmlichkeiten bereitet.

Wir hoffen, daß sich derartige Vorkommnisse in Zukunft vermeiden lassen.

Wir erwarten, daß Sie unsere Aufträge künftig mit größerer Sorgfalt ausführen werden.

## 12.4 Übungen

### 12.4.1 Gutiérrez y Hnos. S.A., Barcelona, an Braun & Söhne, Augsburg

Gutiérrez y Hnos. hat von Braun & Söhne ein Bearbeitungszentrum gekauft, das am 6.9. in Barcelona eintraf. Kurze Zeit nach Inbetriebnahme ergaben sich Störungen beim Wechseln der Werkzeuge. Die spanische Firma wendet sich daher an die Lieferfirma. Sie legt ihrem Schreiben ein in ihrem Hause erstelltes Prüfungsprotokoll bei und bittet die Lieferfirma, zur Beseitigung der Mängel einen Kundendiensttechniker nach Barcelona zu entsenden, wobei sie auch erwähnt, daß die Arbeiten unter Garantie zu leisten sind.

### 12.4.2 John Pollman, Chicago, an Trachtenhaus Bergmeier, Bad Wiessee

Während seines Urlaubs kaufte John Pollman im Trachtenhaus Bergmeier einen bayerischen Trachtenanzug für seinen 7jährigen Sohn. Er zahlte sofort und bat das Trachtenhaus, den Anzug an seine Heimatanschrift zu senden. Als er nach seiner Rückkehr aus dem Urlaub das Paket erhielt, stellte er fest, daß der Anzug dem Jungen viel zu klein war (Größe 128 statt der bestellten Größe 134). John Pollman sendet den Anzug zurück und bittet um Umtausch oder Rückerstattung des Kaufpreises. Außerdem verlangt er Ersatz für seine Auslagen.

## 13.1 Einleitung

Eine von einem Kunden eingehende Beschwerde wird vom Lieferanten sorgfältig geprüft. Wenn sie berechtigt ist, entschuldigt sich der Lieferant bei seinem Kunden und bringt die Angelegenheit so bald wie möglich in Ordnung. Unberechtigte Beschwerden werden im allgemeinen zurückgewiesen. Es kommt aber auch vor, daß der Lieferant in unklaren Fällen, oder um einen guten Kunden nicht zu verlieren, eine Beschwerde auf dem Kulanzwege regelt.

Transportschäden oder -verluste sind der Versicherungsgesellschaft zu melden, bei der die Sendung versichert wurde. Manchmal kommt es zu Meinungsverschiedenheiten zwischen Verkäufer und Käufer, z.B. wegen der Qualität. Wenn sich die Vertragspartner nicht einigen können, müssen sie sich an ein ordentliches Gericht oder ein Schiedsgericht wenden. Da Gerichtsverfahren – besonders solche zwischen Parteien verschiedener Nationalität – kostspielig und zeitraubend sind, wird oft vereinbart, eventuelle Streitigkeiten durch ein Schiedsgericht entscheiden zu lassen. Ein Schiedsverfahren kann in kürzerer Zeit und mit geringeren Kosten abgewickelt werden als ein Prozeß.

## 13.2 Musterbriefe

### 13.2.1 Kartonagenfabrik gewährt Preisnachlaß wegen fehlerhafter Lieferung

Sehr geehrter Herr Dragasic,

ich beziehe mich auf Ihren Anruf vom 27.04., bei dem Sie mir mitteilten, daß die letzte Sendung Kartonagen zu etwa einem Viertel aus Ausschuß bestand.

Wir haben den Fall untersucht und dabei festgestellt, daß bei einer unserer Maschinen Störungen aufgetreten sind. Allerdings hätten die fehlerhaften Faltkartons spätestens bei der Versandkontrolle entdeckt werden müssen. Dieses Versehen ist uns sehr peinlich, und wir bitten Sie höflich um Entschuldigung. Wir haben bereits Maßnahmen getroffen, um derartige Vorkommnisse in Zukunft zu verhindern.

Unter diesen Umständen erklären wir uns natürlich mit Ihrem Vorschlag eines 25%igen Preisnachlasses einverstanden und legen eine Rechnung über den ermäßigten Betrag bei. Die alte Rechnung ist somit hinfällig.

Wir hoffen, die Angelegenheit zu Ihrer vollen Zufriedenheit erledigt zu haben, und bitten Sie, uns auch in Zukunft wieder Ihr Vertrauen zu schenken.

Mit freundlichen Grüßen

Anlage

### 13.2.2 Hersteller lehnt kostenlose Reparatur eines vom Vertreter eingesandten Telefaxgeräts ab

Sehr geehrte Frau Horvath,

wir danken Ihnen für Ihr Schreiben vom 10.10. und bestätigen den Erhalt des von Ihnen eingesandten Telefaxgeräts Alphafax 500, das nach Mitteilung Ihres Kunden nicht mehr funktioniert, obwohl er es erst 3 Wochen in Gebrauch hatte.

Bei der Prüfung des Geräts stellte unsere Reparaturabteilung fest, daß offensichtlich mit Heftklammern versehene Originale eingelegt wurden. In der Bedienungsanweisung wird ausdrücklich darauf hingewiesen, daß bei Kopier- und Übertragungsvorgängen alle Büro- und Heftklammern von den Originalen zu entfernen sind, da sonst Schäden am Gerät entstehen können. Sie werden daher verstehen, daß im vorliegenden Fall eine kostenlose Reparatur aufgrund unserer Garantiebedingungen nicht in Frage kommt. Wir sind natürlich gerne bereit, das Gerät instandzusetzen, müßten dafür aber ... DM berechnen.

Bitte teilen Sie uns so bald wie möglich mit, ob Ihr Kunde damit einverstanden ist.

Mit freundlichen Grüßen

### 13.2.3 Lieferant verweist Kunden an Versicherungsgesellschaft



Sehr geehrter Herr Ramirez,

aus Ihrem Schreiben vom 22.09. haben wir erfahren, daß unsere letzte Sendung beschädigt ankam und ein Teil der Waren unbrauchbar ist.

Wir bedauern dieses Vorkommnis sehr, können jedoch kein Verschulden unsererseits feststellen, da wir wie immer auf sorgfältige Verpackung geachtet haben. Unserer Meinung nach kann der Schaden nur durch ein außergewöhnliches Ereignis entstanden sein.

Wir schlagen deshalb vor, daß Sie eine Schadensmeldung bei der Vertretung der Hamburger Seeversicherungs-AG in Manila einreichen.

Mit freundlichen Grüßen

## 13.3 Briefbausteine

Vielen Dank für Ihr Schreiben vom ... , aus dem wir erfuhren, daß bei Ihrem Kopiergerät Störungen aufgetreten sind.

Bitte senden Sie uns die beanstandete Ware zur Prüfung.

Die Ersatzlieferung wurde bereits an Sie abgesandt.

Ihrem Wunsch entsprechend gewähren wir Ihnen einen Nachlaß von 10%.

Wir ersetzen Ihnen selbstverständlich den entstandenen Schaden und hoffen auf Fortsetzung unserer guten Geschäftsbeziehungen.

Es liegt uns sehr viel daran, die Angelegenheit zu Ihrer vollen Zufriedenheit zu regeln.

Bitte entschuldigen Sie die Unannehmlichkeiten, die Ihnen durch unser Versehen entstanden sind. Wir werden alles tun, damit sich ein solcher Fehler nicht wiederholt.

Da die Prüfung keine Material- oder Verarbeitungsfehler ergab, fällt der Schaden nicht unter die Garantie.

Wir bedauern, daß wir in diesem Fall die Ware nicht zurücknehmen können.

Es liegt offensichtlich ein Bedienungsfehler vor, der sich bei genauer Beachtung unserer Bedienungsanleitung hätte vermeiden lassen.

Obwohl die Garantiezeit bereits abgelaufen ist, sind wir bereit, Ihnen entgegenzukommen und die notwendigen Reparaturen kostenlos durchzuführen.

Wie vereinbart, sind Streitigkeiten nach den Regeln der „Hamburger freundschaftlichen Arbitrage“ beizulegen.

Wir haben Herrn Georg Tiedemann, Hamburg, zu unserem Schiedsrichter bestellt und bitten Sie, innerhalb einer Woche Ihrerseits einen Schiedsrichter zu benennen.

## 13.4 Übungen

### 13.4.1 Briefreihe V, e (←12.2.1)

Auf die Beschwerde der Günther Friedrich KG schreibt Peter Petersen am 24.6., daß er die Lieferung von 4 Ersatzstücken für die beschädigten Ledersitze als Expreßpaket veranlaßt hat. Er bedauert das Vorkommnis und weist darauf hin, daß die Möbel wie immer sorgfältig verpackt waren. Die beschädigten Sitze soll Friedrich der Speditionsfirma Hamann & Sohn in Frankfurt übergeben. (Dies ist der Korrespondent des dänischen Spediteurs, mit dem Petersen zusammenarbeitet.)

### 13.4.2 Crevier S.A., Brüssel, an Maurer & Co., Esslingen

Crevier liegt eine Beschwerde von Maurer vor. Die deutsche Firma schreibt, daß bei der Verzinkanlage, die sie vor 3 Monaten über den deutschen Vertreter der belgischen Firma gekauft hat, wiederholt Störungen aufgetreten seien. Der Vertreter habe inzwischen schon 6 Reparaturen durchgeführt, die Anlage arbeite aber noch immer nicht einwandfrei. Maurer habe den Umtausch der Anlage verlangt, der Vertreter habe sich aber bisher nicht dazu bereit gefunden.

Crevier teilt Maurer mit, daß sie einen ausführlichen Bericht von ihrem Vertreter angefordert hat und die Anlage unverzüglich gegen eine neue umtauschen wird, wenn es sich bestätigt, daß – wie es hier den Anschein hat – Mängel in der Verarbeitung vorliegen.

## 14.1 Einleitung

Ein Kunde, der nicht rechtzeitig zahlt, wird vom Lieferanten gemahnt. Falls erforderlich, folgen auf die erste Mahnung weitere Mahnungen, in denen der Schuldner höflich, aber in immer dringlicherem Ton zur Zahlung aufgefordert wird. In der letzten Mahnung setzt der Gläubiger dem Schuldner eine Frist und kündigt für den Fall der Nichteinhaltung dieser Frist gerichtliche oder sonstige Schritte an. Zu den gerichtlichen Schritten gehört in der Bundesrepublik Deutschland neben der Klage auch das gerichtliche Mahnverfahren (siehe Kleines Fachwörterlexikon).

Was in Kapitel 10 über den Lieferungsverzug gesagt wurde, gilt entsprechend auch für den Zahlungsverzug. Bei Zahlungsverzug des Käufers kann der Verkäufer Zahlung und zusätzlich dazu Schadenersatz (Verzugszinsen und Ersatz der Mahnkosten) verlangen oder vom Vertrag zurücktreten. Ist ein Eigentumsvorbehalt vereinbart, so gibt dieser dem Verkäufer ebenfalls das Recht, vom Vertrag zurückzutreten, wenn der Käufer in Verzug kommt.

**„Dies ist nur eine freundliche Erinnerung an die noch offenstehende Rechnung."**

## 14.2 Musterbriefe

### 14.2.1 Briefreihe VI, c (← 5.2.3, → 15.4.1)

Der Max Hueber Verlag sendet The German Bookstore, Inc. am 5.4. eine Zahlungserinnerung.

Max Hueber Verlag
Max-Hueber-Straße 4
D-85737 Ismaning bei München

Telefon (089) 9602-0
Telefax (089) 9602-358
Telex 523613 hueb d

Max Hueber Verlag · Postfach 1142 · D-85729 Ismaning

Telefon Durchwahl-Nr. 9602-

THE GERMAN BOOKSTORE, INC.

114 NAKANO-CHO, SETAGAYA-KU

TOKYO

JAPAN

KUNDEN-NR. 7187 DATUM 05.04.--

ZAHLUNGSERINNERUNG

SEHR GEEHRTER KUNDE,

DIESER KONTOAUSZUG DIENT IHRER ABSTIMMUNG MIT UNSERER KONTENFÜHRUNG. BITTE ÜBERPRÜFEN SIE UNSERE AUFSTELLUNG UND ÜBERWEISEN SIE DEN AUSGEWIESENEN, BEREITS FÄLLIGEN BETRAG IN DEN NÄCHSTEN TAGEN.

SOLLTE IHRE ZAHLUNG BEREITS IN DEN LETZTEN TAGEN ERFOLGT SEIN, SO BETRACHTEN SIE DIESE ZAHLUNGSERINNERUNG BITTE ALS GEGENSTANDSLOS.

BANKVERBINDUNGEN:

| | |
|---|---|
| POSTGIROAMT MÜNCHEN | KTO.NR.: 36238-803<br>BLZ: 70010080 |
| BAYERISCHE VEREINSBANK MÜNCHEN | KTO.NR.: 36102500<br>BLZ: 70020270 |

MIT FREUNDLICHEN GRÜSSEN
MAX HUEBER VERLAG GMBH U. CO KG
ISMANING

OFFENER POSTEN AUSZUG:

| BS | BUCHUNGSTEXT | BELEG-NR | DATUM | BETRAG | |
|---|---|---|---|---|---|
| 20 | RECHNUNG | 123456 | 03.02.-- | ... DM | * 1. MAHNUNG |
| 40 | BUCHUNGSBELEG | 9999999 | MAHNGEB. | ... DM | |

GEMAHNTE POSTEN GESAMT: ... DM

FORDERUNGEN GESAMT: ... DM

ZAHLUNG BERÜCKSICHTIGT BIS: 05.04.--

Max Hueber Verlag GmbH & Co KG, Amtsgericht München: HRB 49304. Persönlich haftende Gesellschafterin: Sprachen-Hueber Verlagsges. mbH, Amtsgericht München: HRB 45498. Sitz der Gesellschaften: Ismaning. Geschäftsführer: Michaela Hueber, Dr. Roland Schäpers
Bankhaus Reuschel & Co, München (BLZ 70030300) Konto 1031144 01 · Postgiroamt München (BLZ 70010080) Konto 36238-803

### 14.2.2 Erste Mahnung

Sehr geehrter Herr Brandsma,

wir möchten Sie darauf aufmerksam machen, daß unsere Rechnung vom 11.09. noch offensteht. Für eine baldige Überweisung des fälligen Betrages wären wir Ihnen sehr dankbar.

Mit freundlichen Grüßen

### 14.2.3 Zweite Mahnung

Sehr geehrter Herr Brandsma,

wir kommen heute auf unser Schreiben vom 12.10. zurück, in dem wir Sie an die fällige Zahlung unserer Rechnung vom 11.09. erinnerten. Leider ist bis heute noch keine Überweisung von Ihnen eingegangen.

Da wir auf den prompten Eingang unserer Außenstände angewiesen sind, um unseren eigenen Verpflichtungen nachkommen zu können, bitten wir Sie nochmals höflich, Ihr Konto umgehend auszugleichen.

Mit freundlichen Grüßen

### 14.2.4 Letzte Mahnung

Unsere Rechnung vom 11.09.

Sehr geehrter Herr Brandsma,

wir sind sehr enttäuscht darüber, daß Sie auf unsere beiden Zahlungsaufforderungen vom 12.10. und 22.10. nicht reagiert haben. Es bleibt uns nunmehr nichts anderes übrig, als Ihnen eine Frist bis 11.11. zu setzen. Sollte die Zahlung bis dahin nicht eingehen, werden wir den Betrag der Rechnung zuzüglich Zinsen und Kosten durch unseren Rechtsanwalt einziehen lassen. Außerdem werden wir die Deutsch-Niederländische Handelskammer von Ihrem Zahlungsverzug in Kenntnis setzen.

Wir hoffen, daß Sie uns durch umgehende Zahlung diese für beide Teile unangenehmen Maßnahmen ersparen werden.

Mit freundlichen Grüßen

## 14.3 Briefbausteine

---

Bei der Durchsicht unserer Bücher stellten wir fest, daß auf Ihrem Konto noch ein Betrag von ... offensteht.

---

Folgende Rechnung steht auf Ihrem Konto noch zur Zahlung offen: ... Wir nehmen an, daß diese verlorengegangen ist und erlauben uns, Ihnen als Anlage eine Kopie zu übersenden.

---

Wir nehmen an, daß unsere Rechnung vom ... Ihrer Aufmerksamkeit entgangen ist und erlauben uns deshalb, sie in Erinnerung zu bringen.

---

Für baldigen Ausgleich unserer Rechnung wären wir Ihnen sehr dankbar.

---

Mit meinem Schreiben vom ... bat ich Sie um baldige Begleichung meiner Rechnung vom ... über ... Ich wiederhole heute meine Bitte.

---

Trotz unserer wiederholten Bitten um Begleichung der seit längerem fälligen Rechnung haben wir noch immer nichts von Ihnen gehört.

---

Leider sind Sie meinen Bitten um Begleichung des fälligen Rechnungsbetrages bisher nicht nachgekommen.

---

Zu unserem Bedauern bleibt uns nichts anderes übrig, als Ihnen eine Frist bis zum ... zu setzen.

---

Sollte ich bis ...nichts von Ihnen hören, werde ich die Forderung meinem Rechtsanwalt zum Einzug übergeben.

---

Falls die Zahlung nicht bis ... eingeht, sehen wir uns zu unserem Bedauern gezwungen, gerichtliche Schritte gegen Sie einzuleiten.

---

## 14.4 Übungen

### 14.4.1 Lemaire & Cie., Luxemburg, an Seybold & Co., Hanau

Lemaire sendet am 14.5. Seybold einen Kontoauszug, der einen offenen Saldo in Höhe von 14580,85 DM aufweist. Die Zahlungserinnerung bleibt unbeantwortet. Lemaire schreibt deshalb Ende Mai nochmals an Seybold. Der Schuldner reagiert auch auf das zweite Schreiben nicht. Am 14.7. wendet sich Lemaire ein drittes Mal an Seybold und setzt eine letzte Frist bis 31.8. Wenn die Zahlung nicht bis dahin eingeht, sieht sich Lemaire gezwungen, unverzüglich Schritte zur Einziehung des fälligen Betrages zu unternehmen.

Entwerfen Sie das Begleitschreiben zum Kontoauszug sowie die zwei weiteren Mahnungen von Lemaire & Cie.

### 14.4.2 Rechtsanwalt Dr. Eriksen, Oslo, an Rechtsanwälte Dr. Dietrich & Partner, Hannover

Die Firma Olaf Andersen in Oslo hat vor ca. 4 Monaten Waren im Wert von 25520,60 DM an Klaus Kaspar KG in Hannover geliefert. Da die Firma Kaspar auf mehrere Mahnungen nicht reagiert hat, wendet sich die norwegische Firma an ihren Rechtsanwalt, Dr. Leif Eriksen, in Oslo.

Dr. Eriksen schreibt an die Rechtsanwaltskanzlei Dr. Dietrich & Partner in Hannover, die ihm von der Industrie- und Handelskammer Hannover-Hildesheim genannt wurde – fragt an, ob Klaus Kaspar KG noch existiert – sollte dies der Fall sein, bittet er die Rechtsanwaltskanzlei zu versuchen, die Zahlung auf gütlichem Weg zu erhalten – anderenfalls soll sie den Erlaß eines Mahnbescheids gegen den säumigen Schuldner beantragen – zur Information seiner deutschen Kollegen legt Dr. Eriksen eine Kopie der Rechnung der Firma Andersen und Kopien der Mahnschreiben bei

## 15.1 Einleitung

In seiner Antwort auf die Mahnung erklärt der säumige Schuldner die Gründe für den Zahlungsverzug und entschuldigt sich. Falls die Rechnung übersehen wurde, teilt er mit, daß die Zahlung inzwischen veranlaßt worden ist. Sollte sich der Schuldner vorübergehend in finanziellen Schwierigkeiten befinden, so bittet er um einen Zahlungsaufschub. Falls es ihm möglich ist, leistet er eine Abschlagszahlung. (Bei der Stundung von Forderungen oder der Prolongation von Wechseln werden Zinsen berechnet.) Ein Schuldner, dem es nicht möglich ist, seine Schulden prompt zu begleichen, sollte nicht warten, bis er gemahnt wird, sondern sich rechtzeitig mit seinem Gläubiger in Verbindung setzen und versuchen, mit diesem zu einer Einigung zu gelangen.

## 15.2 Musterbriefe

### 15.2.1 Entschuldigungsschreiben

Sehr geehrte Frau Lawson,

wir haben Ihr Schreiben vom 06.02. bezüglich Ihrer Rechnung vom ... über ... erhalten.

Unsere Buchhaltungsabteilung wurde vor etwa 3 Wochen in unser neues Verwaltungsgebäude verlegt. Als Folge der Umzugsarbeiten ist Ihre Rechnung leider übersehen worden.

Wir haben heute unsere Bank angewiesen, den fälligen Betrag auf Ihr Konto zu überweisen, und bitten Sie höflich, die Verzögerung zu entschuldigen.

Mit freundlichen Grüßen

### 15.2.2 Antwort auf Mahnung und Bitte um Restlieferung

Unser Auftrag Nr. 550 vom 08.10.
Ihre Rechnung Nr. 3130 vom 05.12.

Sehr geehrter Herr Sprüngli,

wir bestätigen den Eingang Ihres Schreibens vom 21.01. und teilen Ihnen mit, daß wir den Betrag der obigen Rechnung bereits am 18.01. überwiesen haben. In der

Annahme, daß der Betrag inzwischen bei Ihnen eingegangen ist, bitten wir Sie, die Restlieferung unseres Auftrags so schnell wie möglich vorzunehmen.

Mit freundlichen Grüßen

### 15.2.3 Bitte um Wechselprolongation

Sehr geehrte Frau Gravier,

leider ist es uns nicht möglich, unser Akzept über ..., fällig am 15.03., bei Verfall einzulösen.

Der unerwartete Konkurs eines unserer Kunden verursachte uns größere Verluste, wodurch sich unsere finanzielle Lage vorübergehend verschlechtert hat. Unsere vollen Auftragsbücher geben uns jedoch die Gewißheit, daß wir bald wieder über genügend flüssige Mittel verfügen werden. Wir wären Ihnen sehr dankbar, wenn Sie den Wechsel bis 15.05. prolongieren könnten. Wir sind bereit, die Wechselsumme mit ...% zu verzinsen.

Wir hoffen auf Ihr Entgegenkommen und sagen Ihnen schon heute unseren besten Dank.

Mit freundlichen Grüßen

### 15.2.4 Bitte um Stundung

Sehr geehrter Herr Metzinger,

wir beziehen uns auf Ihr Schreiben vom 22.06., in dem Sie uns an die seit 4 Wochen fällige Rechnung über ... erinnern.

Leider ist es für uns derzeit sehr schwierig, den gesamten Betrag zu begleichen, da wir mit großen

Absatzschwierigkeiten zu kämpfen haben. Fast die gesamte Menge Ihrer letzten Lieferung liegt noch unverkauft in unserem Lager. Wir senden Ihnen daher einen Scheck über ... als Abschlagszahlung und wären Ihnen sehr dankbar, wenn Sie uns den Restbetrag bis Mitte August stunden könnten. Wir erwarten in den nächsten Wochen einige größere Zahlungen, so daß es uns zum genannten Termin sicher möglich sein wird, unsere Verbindlichkeiten zu erfüllen.

Wir hoffen, daß Sie Verständnis für unsere schwierige Lage haben und sich bereitfinden werden, unserer Bitte um Stundung zu entsprechen.

Mit freundlichen Grüßen

defer payment, extend payment terms

Anlage

## 15.3 Briefbausteine

---

Es tut uns sehr leid, daß es uns bisher nicht möglich war, Ihre Rechnung vom ... zu begleichen.

---

Bedingt durch sinkende Umsätze und steigende Rohstoffpreise ist unsere finanzielle Lage derzeit sehr angespannt.

---

Wir haben große Schwierigkeiten beim Einzug unserer Außenstände.

---

Wir haben heute als Abschlagszahlung auf die obige Rechnung ... DM auf Ihr Konto überwiesen und bitten Sie, uns die Restschuld von ... DM zu stunden. Die Begleichung dieses Betrages erfolgt in zwei Raten wie folgt: ...

---

Sie können sich darauf verlassen, daß wir den offenen Saldo bis Ende Mai ausgleichen werden.

---

Sie wissen, daß ich meine Rechnungen bisher immer pünktlich bezahlt habe. Ich hoffe daher, daß Sie meinem Vorschlag zustimmen werden.

---

## 15.4 Übungen

### 15.4.1 Briefreihe VI, d (← 14.2.1)

Nach Eingang der Mahnung des Max Hueber Verlags stellt The German Bookstore, Inc. fest, daß die Rechnung vom 3.2. übersehen wurde. Die Buchhandlung entschuldigt sich und teilt mit, daß sie ihre Bank beauftragt hat, den Betrag der Rechnung zu überweisen.

### 15.4.2 Burns & Smith Ltd., Toronto, an Neuner & Co., Regensburg

Burns kann die am 10.10. fällige Rechnung über DM 120 750,60 nicht in voller Höhe begleichen – Grund: Liquiditätsanspannung durch Umstrukturierung – bietet Zahlung der Hälfte bei Fälligkeit an – bittet Neuner, für den Restbetrag auf die Commercial Bank of Ontario zu ziehen – Bank ist bereit, den Wechsel zu akzeptieren – durch Diskontierung des Bankakzepts kann Neuner sofort Bargeld bekommen – die Diskontspesen werden von Burns übernommen

## 16.1 Einleitung

Viele Exportfirmen vertreiben ihre Produkte oder Waren im Ausland über dort ansässige Handelsvertreter, Kommissionäre oder Händler. In der Praxis ist es üblich, alle Absatzmittler im Ausland als „Auslandsvertreter" zu bezeichnen, ohne Rücksicht darauf, zu welcher dieser drei Kategorien sie gehören. Die Vertreterfirma kann auch in mehreren der genannten Eigenschaften gleichzeitig tätig sein.

## 16.2 Musterbriefe

### 16.2.1 Deutsche Firma möchte Vertretung übernehmen

Sehr geehrte Damen und Herren,

einer Anzeige in der letzten Nummer des Mitteilungsblattes der hiesigen Industrie- und Handelskammer entnehmen wir, daß Sie einen Vertreter für den Verkauf Ihrer Anrufbeantworter und Telefaxgeräte in Süddeutschland suchen. Wir sind an dieser Vertretung interessiert. Da in dieser Anzeige ausdrücklich darauf hingewiesen wird, daß Deutsch zu Ihren Korrespondenzsprachen gehört, schreiben wir Ihnen diesen Brief auf deutsch.

Unsere Firma ist ein auf Büromaschinen spezialisiertes Großhandelsunternehmen, das schon seit über 12 Jahren besteht. Wir sind beim Fachhandel gut eingeführt und können den deutschen Markt intensiv bearbeiten. Neben unserer Hauptniederlassung in München haben wir Verkaufsbüros in Nürnberg, Regensburg und Stuttgart. Die Hauptniederlassung und die Verkaufsbüros verfügen über modern eingerichtete Kundendienstwerkstätten.

Da sich unser Verkaufsleiter, Herr Hartwig, im September in Taiwan aufhalten wird, könnte gegebenenfalls ein Termin für eine persönliche Unterredung vereinbart werden.

Auskünfte über unsere Firma erhalten Sie von der Dresdner Bank in München und folgenden Firmen: ...

Ihrer baldigen Anwort sehen wir mit Interesse entgegen.

Mit freundlichen Grüßen

### 16.2.2 Deutscher Hersteller beantwortet Vertretungsangebot

Sehr geehrter Herr van Leyden,

für Ihre Bewerbung danken wir Ihnen sehr. Wir sind gerne bereit, Ihnen die Vertretung unserer Erzeugnisse für die Niederlande zu übertragen.

Wie Sie wissen, bauen wir seit fast 30 Jahren Regale aus Metall. Unser Fertigungsprogramm umfaßt Regalsysteme für Industrie, Handel und Handwerk. Besonders bekannt sind unsere Anbauregale für Büro, Lager, Werkstatt und Betrieb. Wir haben in der Vergangenheit bereits einige Aufträge aus den Niederlanden erhalten, und zwar über unsere Düsseldorfer Vertretung. Die steigende Nachfrage nach unseren Regalen in den Niederlanden hat uns veranlaßt, durch Anzeigen in Fachzeitschriften einen geeigneten Fachvertreter zu suchen.

Wir glauben, daß Sie für uns der richtige Mann sind. Bitte machen Sie sich mit unserem Fertigungsprogramm vertraut. Mit getrennter Post senden wir Ihnen ausführliche Unterlagen über unsere Regalsysteme. Wir haben unsere Auslandsabteilung beauftragt, einen Gesamtprospekt in holländischer Sprache zusammenzustellen, der voraussichtlich schon Ende dieses Monats vorliegen wird.

Unsere selbständigen Auslandsvertreter arbeiten nur auf Provisionsbasis. Bitte entnehmen Sie die Bedingungen dem beiliegenden Mustervertrag.

Gern erwarten wir Ihre Zusage, daß Sie unsere Regale in den Niederlanden verkaufen wollen. Wir freuen uns schon auf eine angenehme und erfolgreiche Zusammenarbeit mit Ihnen.

Mit freundlichen Grüßen

Anlage

### 16.2.3 Vertreter macht Vorschläge zur Verbesserung des Absatzes

Sehr geehrte Frau Thorsten,

vielen Dank für Ihr Schreiben vom 01.03., in dem Sie sich nach den Gründen für den Rückgang der Aufträge in den letzten Monaten erkundigen. Diese Entwicklung bereitet auch uns große Sorgen.

Ich möchte gleich eingangs betonen, daß die geringere Zahl von Abschlüssen in unserem Gebiet keineswegs auf ein Nachlassen unserer Bemühungen zurückzuführen ist. Erst vor 6 Wochen stellten wir zwei neue Reisende ein, um den Markt intensiver bearbeiten zu können. Die Konkurrenz unternimmt jedoch große Anstrengungen, uns aus dem Feld zu schlagen. Es wird daher gemeinsamer energischer Maßnahmen bedürfen, um das verlorene Terrain wiederzugewinnen.

Ich möchte deshalb vorschlagen, so bald wie möglich eine Werbeaktion durch Inserate in der Fachpresse und Drucksachenwerbung durchzuführen. Vielleicht könnte man auch eine Sonderausstellung veranstalten. Falls Sie einverstanden sind, werde ich die Werbeagentur Behrmann mit der Planung und Durchführung der Werbemaßnahmen beauftragen. Wir sind bereit, einen Teil der Kosten zu übernehmen.

Zur Verbesserung unserer Wettbewerbsposition würde zweifellos auch die Errichtung eines Konsignationslagers beitragen. Wir wären dann in der Lage, eingehende Aufträge in kürzester Zeit auszuführen. Für den Konsignationsverkauf dürften sich vor allem kleinere Artikel eignen, die häufig bestellt werden.

Ich bin sicher, daß die vorgeschlagenen Maßnahmen geeignet wären, die Verkaufsergebnisse zu verbessern, und erwarte mit Interesse Ihre Stellungnahme.

Mit freundlichen Grüßen

## 16.3 Briefbausteine



*Vertretungsangebote*

---

Wir suchen Vertreter für den Verkauf unserer Erzeugnisse an Unternehmen der metallverarbeitenden Industrie.

---

Wir suchen Kontakt zu Firmen, die daran interessiert sind, ein Produkt aus dem Software-Bereich zu vertreten.

---

Wir suchen eine Firma, die in der Lage ist, unseren Produkten den schwedischen Markt zu erschließen.

---

Da die Nachfrage nach unseren Erzeugnissen in der Schweiz ständig zunimmt, beabsichtigen wir, eine dort ansässige Firma mit dem Vertrieb zu beauftragen.

---

*Vertretungsgesuche*

---

Wir haben Ihre Anzeige in ... gelesen und bieten Ihnen unsere Dienste als Vertreter an.

---

Wir haben von der hiesigen Industrie- und Handelskammer erfahren, daß Sie einen Vertreter für den Vertrieb Ihrer Erzeugnisse in der Bundesrepublik suchen.

---

Zur Ergänzung unseres Sortiments suchen wir Vertretungen ausländischer Keltereien und Brennereien.

---

Wir danken Ihnen für Ihr Schreiben vom ... , in dem Sie uns die Alleinverkaufsrechte für Ihr neues Produkt anbieten.

---

Als führende Importeure in dieser Branche besitzen wir eine umfangreiche Verkaufsorganisation und eine gründliche Kenntnis des Marktes.

---

Wir sind bereit, für die von uns vermittelten Aufträge das Delkredere zu übernehmen. Dafür würden wir eine zusätzliche Provision von ...% berechnen.

---

Wenn Sie uns Ihre Vertretung übertragen, werden wir uns nach Kräften für den Verkauf Ihrer Produkte einsetzen.

---

Wir sind davon überzeugt, daß es uns dank unserer großen Erfahrung und unserer umfangreichen Geschäftsbeziehungen gelingen wird, Ihre Produkte auf dem hiesigen Markt erfolgreich einzuführen.

---

## 16.4 Übungen

### 16.4.1 Vertretungsgesuch

Sie haben von Ihrer Handelskammer erfahren, daß die Spielwarenfabrik Gebr. Machler in Nürnberg einen Vertreter in Ihrem Land sucht. Bewerben Sie sich um die Vertretung.

### 16.4.2 Vertretungsangebot

Sie suchen einen Vertreter für den Verkauf Ihrer Erzeugnisse in der Bundesrepublik Deutschland. Ihre Bank hat Sie darauf aufmerksam gemacht, daß Möller & Co. in Hamburg eine solche Vertretung sucht. Schreiben Sie an diese Firma, und nennen Sie die Bedingungen, zu denen Sie bereit wären, ihr die Vertretung zu übertragen.

**„Die Umsatzsteigerung verdanken wir nicht zuletzt der geschickten Verkaufsstrategie unseres Vertreters."**

# Kleines Fachwörterlexikon

**Ab Werk** (benannter Ort)/EXW Ex works (named place)
Der Verkäufer muß dem Käufer die Ware auf seinem Gelände (Werk, Lager usw.) zur Verfügung stellen. Er trägt alle Kosten sowie die Gefahr des Verlusts oder der Beschädigung der Ware bis die Ware dem Käufer in der genannten Weise zur Verfügung gestellt worden ist. Siehe auch **Incoterms.**

**AG** siehe **Aktiengesellschaft.**

**Akkreditiv**
siehe **Dokumentenakkreditiv.**

**Aktiengesellschaft** (AG)
Die Aktiengesellschaft ist eine Handelsgesellschaft mit eigener Rechtspersönlichkeit (Kapitalgesellschaft), deren Grundkapital in Anteile (Aktien) zerlegt ist. Die Aktien sind in Wertpapieren verbrieft. Für die Verbindlichkeiten der AG haftet nur das Gesellschaftsvermögen. Die AG hat drei Organe: Hauptversammlung, Aufsichtsrat und Vorstand. Die Hauptversammlung besteht aus den Aktionären; sie wählt einen Teil der Mitglieder des Aufsichtsrates (der übrige Teil wird von den Arbeitnehmern bestimmt). Der Aufsichtsrat bestellt den Vorstand, das leitende Organ der AG, und beaufsichtigt dessen Geschäftsführung.

**Akzept** siehe **Wechsel.**

**Allgemeine Geschäftsbedingungen**
Allgemeine Geschäftsbedingungen (AGB) sind standardisierte Vertragsbedingungen, die Firmen allen ihren Geschäftsabschlüssen zugrundelegen. Sie können auch einheitlich für eine ganze Branche aufgestellt werden.

**Arbitrage** siehe **Schiedsgericht.**

**Auslandshandelskammer**
Die deutschen Auslandshandelskammern haben die Aufgabe, die Wirtschaftsbeziehungen zwischen der Bundesrepublik Deutschland und dem jeweiligen Partnerland zu fördern und zu pflegen. Sie sind privatrechtliche Vereinigungen, denen Mitgliedern aus beiden Ländern angehören. Vergleiche **Industrie- und Handelskammer.**

**CFR Cost and freight** siehe **Kosten und Fracht.**

**CIF Cost, insurance and freight** siehe **Kosten, Versicherung und Fracht.**

**CIP Carriage and insurance paid to** siehe **Frachtfrei versichert.**

**CPT Carriage paid to** siehe **Frachtfrei.**

**DAF Delivered at frontier** siehe **Geliefert Grenze.**

**DDP Delivered duty paid** siehe **Geliefert verzollt.**

**DDU Delivered duty unpaid** siehe **Geliefert unverzollt.**

**DEQ Delivered ex quay (duty paid)** siehe **Ab Kai (verzollt).**

**DES Delivered ex ship** siehe **Geliefert ab Schiff.**

**Dokumente**
Als Dokumente bezeichnet man im Außenhandel die im Zusammenhang mit einer Warensendung ausgestellten Urkunden. Zu diesen gehören Handelsrechnung (siehe Kapital 8), **Konnossement, Versicherungspolice** oder **-zertifikat, Ursprungszeugnis** und eine Reihe anderer Papiere.

**Dokumente gegen Akzept**
Bei dieser Zahlungsform übergibt der Exporteur seiner Bank die **Dokumente** und einen auf den Importeur gezogenen **Wechsel** mit der Anweisung, die Dokumente über ihre Filiale oder Korrespondenzbank im Einfuhrland dem Importeur nach Akzeptierung des Wechsels auszuhändigen.

**Dokumentenakkreditiv** (siehe S. 110)
Ein Dokumentenakkreditiv ist das Versprechen einer Bank, für Rechnung eines Kunden einem Dritten, meist unter Einschaltung einer anderen Bank, bei Erfüllung bestimmter Bedingungen (rechtzeitige Vorlage der im Akkreditiv vorgesehenen **Dokumente**) einen bestimmten Betrag zur Verfügung zu stellen.

Wenn sich Verkäufer und Käufer auf Zahlung durch Akkreditiv geeinigt haben, erteilt der Käufer seiner Bank den Auftrag, das Akkreditiv zugunsten des Verkäufers (des Begünstigten) zu eröffnen. Die Bank des Käufers weist ihre Filiale oder eine andere Bank im Land des Verkäufers an, dem Verkäufer den Akkreditivbetrag bei Vorlage der im Akkreditiv genannten Dokumente auszubezahlen.

Akkreditive können unwiderruflich oder widerruflich sein. Ein unwiderrrufliches Akkreditiv kann von der eröffnenden Bank nur mit Zustimmung des Begünstigten widerrufen werden. Es gibt bestätigte unwiderrufliche Akkreditive und unbestätigte unwiderrufliche Akkreditive. (Die in der Praxis selten verwendeten widerruflichen Akkreditive sind stets unbestätigt.) Wenn die Bank im Lande des Begünstigten das Akkreditiv bestätigt, haftet sie dem Begünstigten genau so wie die eröffnende Bank für die Einlösung des Akkreditivs. Bei einem unbestätigten Akkreditiv erhält der Begünstigte von der Bank in seinem Land lediglich eine Eröffnungsanzeige, bei der die Bank keine Haftung übernimmt.

**Eigentumsvorbehalt**
Beim Kauf unter Eigentumsvorbehalt behält sich der Verkäufer das Eigentum an der verkauften Ware bis zur vollständigen Bezahlung des Kaufpreises vor. Kommt der Käufer mit der Zahlung in Verzug, so ist der Verkäufer berechtigt, vom Vertrag zurückzutreten und Rückgabe der Ware zu fordern.

**Einheitspapier** (siehe S. 111)
Das Einheitspapier, das 1988 in der Europäischen Gemeinschaft eingeführt wurde, ersetzte die meisten Vordrucke, die früher im grenzüberschreitenden Warenverkehr benötigt wurden. Als am 1. Januar 1993 der europäische Binnenmarkt in Kraft trat (das Gebiet der EG-Mitgliedstaaten bildet nun einen weitgehend vereinheitlichten Wirtschaftsraum), entfiel grundsätzlich bei Lieferungen von **Gemeinschaftswaren** innerhalb der EG die Zollabfertigung und somit in der Regel auch die Verwendung des Einheitspapiers bei diesen Lieferungen. Das Einheitspapier wird jedoch weiterhin als Anmeldung zur Ausfuhr und Einfuhr von Waren aus dem oder in das Zollgebiet der Gemeinschaft sowie als Versandschein T1 (in den vorgesehenen Ausnahmefällen auch als Versandschein T2 oder Versandpapier T2L) benötigt. **Siehe auch gemeinschaftliches Versandverfahren.**

**Erfüllungsort**
Nach deutschem Recht ist der Erfüllungsort der Ort, an dem die Leistung des Schuldners zu erfolgen hat. Da es bei einem Warengeschäft zwei Schuldner gibt, nämlich einen Warenschuldner (Verkäufer) und einen Geldschuldner (Käufer), gibt es auch zwei gesetzliche Erfüllungsorte. Der Erfüllungsort für die Lieferung ist der Geschäftssitz des Verkäufers und der Erfüllungsort für die Zahlung der Geschäftssitz des Käufers. Verkäufer und Käufer können sich aber auch auf einen gemeinsamen Erfüllungsort, den vertraglichen Erfüllungsort, einigen. Meist ist dies der Geschäftssitz des Verkäufers. Der Erfüllungsort kann auch Gerichtsstand sein.

**EXW Ex works** siehe **Ab Werk.**

**FAS Free alongside ship** siehe **Frei Längsseite Schiff.**

**FCA Free carrier** siehe **Frei Frachtführer.**

**FOB Free on board** siehe **Frei an Bord.**

**Frachtbrief** (siehe S. 113)
Der Frachtbrief ist im Gegensatz zum **Konnossement** lediglich ein Begleitpapier, das dem Empfänger zusammen mit der Sendung ausgehändigt wird.

**Frachtfrei** (benannter Bestimmungsort)/ CPT Carriage paid to (named place of destination)
Der Verkäufer muß die Fracht für die Beförderung der Ware bis zum benannten Bestimmungsort tragen. Er übernimmt jedoch die Gefahr des Verlusts oder der Beschädigung der Ware nur bis zur Übergabe der Ware an den Frachtführer. Zusätzliche Kosten, die nach der Übergabe der Ware an den Frachtführer anfallen, trägt der Käufer. Diese Klausel kann für jede Transportart, einschließlich des **multimodalen Transports,** verwendet werden. Siehe auch **Incoterms.**

**Frachtfrei versichert** (benannter Bestimmungsort)/CIP Carriage and insurance paid to (named place of destination)
Der Verkäufer hat hier die gleichen Verpflichtungen wie bei **Frachtfrei,** er muß jedoch zusätzlich die **Transportversicherung** gegen die vom Käufer getragene Gefahr des Verlustes oder der Beschädigung der Ware während des Transports abschließen und die Versicherungsprämie zahlen. Siehe auch **Incoterms.**

# Auftrag zur Eröffnung eines Dokumenten-Akkreditivs

An
**BAYERISCHE VEREINSBANK**
**AKTIENGESELLSCHAFT**

........................................................................................................

Datum:
Telefon:
Referenz:
Sachbearbeiter:

## Auftrag zur Eröffnung eines Dokumenten-Akkreditives

Wir bitten Sie, ein Akkreditiv zu nachstehenden Bedingungen und gemäß den Einheitlichen Richtlinien und Gebräuchen für Dokumenten-Akkreditive der Internationalen Handelskammer und Ihren Allgemeinen Geschäftsbedingungen - die an Ihren Schaltern eingesehen werden können und uns auf Verlangen zugesandt werden - zu eröffnen und den Dokumentengegenwert bei Inanspruchnahme dem

**Konto Nr.:** .............................................. zu belasten.

| Bank-intern | Über Ihre Korrespondenten bei<br>(avisierende Bank) |
|---|---|
| 40 A | ☐ unwiderruflich ☐ widerruflich ☐ übertragbar ☐ S.W.I.F.T. ☐ brieflich, mit drahtlichem Voravis ☐ fernschriftlich oder telegrafisch ☐ brieflich |
| 31 D | Gültigkeit bis zum<br>zwecks Zahlung/Negoziierung<br>☐ bei Ihnen ☐ bei der avisierenden Bank |
| 59 | Name und Anschrift des Begünstigten |
| 32 B | Akkreditivbetrag<br>☐ maximal ☐ zirka (plus/minus 10 %) |
| 41 A | Zahlbar<br>☐ bei Sicht ☐ nach Sicht |
| 43 P | Teillieferung<br>☐ gestattet ☐ nicht gestattet |
| 44 | Verschiffung/Versendung — letzter Tag der Verschiffung, Versendung, Übernahme<br>von nach |
| 45 A | Warenbeschreibung und Menge<br>Preis/Liefer-bedingungen (z. B. cif, c+f, fob usw.) |
| 46 A | Verlangte Dokumente<br>☐ Unterschriebene Handels-Faktura, dreifach<br>☐ voller Satz reiner ☐ an-Bord-See-Konnossemente, ☐ Durch Konnossemente ausgestellt an „Order" und blanko indossiert,<br>mit Notify-Adresse: an unsere Adresse/an die Adresse von:<br>☐ Eisenbahn-Frachtbriefdoppel mit Stempel der Versand-Station<br>☐ Spediteur-Versand-Bescheinigung<br>☐ Luftfrachtbrief zu unserer Verfügung<br>☐ Versicherungs-Police oder -Zertifikat, übertragbar, zweifach, mit Vermerk „Prämie bezahlt", in Höhe des Rechnungsbetrages zuzüglich ............ %<br>deckend: ............<br>(z. B. Risiken gemäß „Institute Cargo Clauses/A, B, C")<br>☐ Ursprungszeugnis, ausweisend als Ursprungsland: ............<br>☐ weitere Dokumente:<br>(evtl. Rückseite benutzen!) |
| 71 B | Kosten<br>☐ Ihre Kosten zu unseren Lasten ☐ Fremde Kosten zu unseren Lasten ☐ Fremde Kosten zu Lasten des Begünst. |
| 48 | Die Dokumente müssen innerhalb<br>von Tagen nach Ausstellung des Versanddokumentes vorgelegt werden. |
| 49 | Avisierung/Bestätigung<br>Das Akkreditiv ist von der avisierenden Bank ☐ zu bestätigen ☐ nicht zu bestätigen |

**Sicherungsabrede:**

Ich bin/wir sind mit Ihnen darüber einig, daß das Eigentum an der Ware mit der Übergabe der Dokumente an Sie oder an Ihre Korrespondenten auf Sie übergeht; soweit die Übergabe der Dokumente die Übergabe der Ware nicht ersetzt, trete(n) ich/wir Ihnen hiermit den Herausgabeanspruch gegen den /die unmittelbaren Besitzer der Ware ab. Meine/Unsere Ansprüche aus den Versicherungsverträgen für die vorstehend erwähnte Ware, insbesondere den Anspruch auf Zahlung von Schadensgeldern trete(n) ich/wir hiermit ebenfalls an Sie ab. Vorstehende Übereignung und Abtretung dient zur Absicherung Ihrer Ansprüche gegen mich/uns aufgrund dieses Auftrags.

........................................................................
(Firmenstempel und rechtsverbindliche Unterschrift)

**2 Anlagen (bitte fest mit diesem Auftrag verbinden!)**
**(1. und 2. Ausfertigung des Zahlungsauftrages gem. Anlage Z1 zur AWV)**

0 445 266 /(1-2) - 11.88 - 6 fl 129

**EUROPÄISCHE GEMEINSCHAFT** **AE J** 125832

1 ANMELDUNG XXXXX

A VERSENDUNGS-/AUSFUHRZOLLSTELLE

1

Exemplar für das Versendungs-/Ausfuhrland

2 Versender/*Ausführer* Nr.

3 Vordrucke

4 Ladelisten XXXXX

5 Positionen

6 Packst. insgesamt XXXXXXX

7 Bezugsnummer

8 Empfänger Nr.

9 Verantwortlicher für den Zahlungsverkehr Nr.

XXXXXXXXXXXXXXXXXXXXXXXXXXXXXXXXXXX

10 *Erstes Best. Land* XXX

11 *Handels-land*

13 *G. L. P.* XXXXX

14 Anmelder/Vertreter Nr.

15 Versendungs-/*Ausfuhrland* XXXXXXXXXXXXXXXXX

15 Vers./*Ausf.L.Code* a XXX b XX

17 Bestimm.L.Code a b XX

16 Ursprungsland

17 Bestimmungsland

18 Kennzeichen und Staatszugehörigkeit des Beförderungsmittels beim Abgang

19 Ctr.

20 Lieferbedingung XX

21 Kennzeichen und Staatszugehörigkeit des grenzüberschreitenden aktiven Beförderungsmittels

22 Währung u. in Rechn. gestellter Gesamtbetr.

23 Umrechnungskurs XXXXXXXX

24 Art des Geschäfts

25 Verkehrszweig an der Grenze

26 Inländischer Verkehrszweig XX

27 Ladeort

28 Finanz- und Bankangaben

1

29 Ausgangszollstelle

30 Warenort XXXXXXXXXXXXXXXXX

31 Packstücke und Warenbezeichnung

Zeichen und Nummern - Container Nr. - Anzahl und Art

32 Positions Nr.

33 Warennummer XXXX

34 Urspr.land Code a b

35 Rohmasse (kg)

37 VERFAHREN

38 Eigenmasse (kg)

39 *Kontingent* XXXXX

40 Summarische Anmeldung/Vorpapier XXXXXXXXXXXXXXXXXXXXXXXXXX

41 Besondere Maßeinheit

44 Besondere Vermerke/Vorgelegte Unterlagen/Bescheinigungen u. Genehmigungen

**Ausgeführt mit Versand-AE Nr.:**

**Ausfuhrgenehmigung vom** ________ **Nr.** ________ **Gültig bis** ________

Code B.V. XXX

46 Statistischer Wert

47 Abgabenberechnung

| Art | Bemessungsgrundlage | Satz | Betrag | ZA |
|---|---|---|---|---|
| XXX | XXXXXXXXXX | XXXXXXXXXX | XXXXXXXXXX | XX |
| | | Summe: | | |

48 Zahlungsaufschub XXXXXXXXXXXXXXXXX

49 Bezeichnung des Lagers

B ANGABEN FÜR VERBUCHUNGSZWECKE

## Ausfuhrerklärung

**Anlage A 1 zur AWV (89)**

50 Hauptverpflichteter Nr. Unterschrift:

XXXXXXXXXXXXXXXXXXXXXXXXXXXXXXXXXXXXXXXXXXXXXXX

vertreten durch

Ort und Datum:

C ABGANGSZOLLSTELLE

51 Vorgesehene Grenzübergangsstellen (und Land)

XXXXXXXXXXX XXXXXXXXXXX XXXXXXXXXXX XXXXXXXXXXX XXXXXXXXXXX XXXXXXXXXXX

52 Sicherheit nicht gültig für XXXXXXXXXXXXXXXXXXXXXXXXXXXXXXXXXXXXXXXXXXXX

Code XX

53 Bestimmungszollstelle (und Land) XXXXXXXXXXXXXXXXXXXXXXX

D PRÜFUNG DURCH DIE ABGANGSZOLLSTELLE

Stempel:

Ergebnis:

Angebrachte Verschlüsse: Anzahl:

Zeichen:

Frist (letzter Tag):

Unterschrift:

54 Ort und Datum:

Unterschrift und Name des Anmelders/Vertreters:

**0733** Einheitspapier (Versendung/Ausfuhr) + - III B 7 - **(1989)**

Kommunalschriften-Verlag J. Jehle München GmbH, Postfach 80 19 40, Vogelweideplatz 10, 8000 München 80, Telefon: 0 89/4 16 00 06 - 40, Telefax: 0 89/4 70 69 98

**Frachtführer**
Frachtführer ist, wer es gewerbsmäßig übernimmt, die Beförderung von Gütern zu Lande oder auf Binnengewässern auszuführen. Dies gilt grundsätzlich auch für den Luftverkehr. In der Seeschiffahrt entspricht dem Frachtführer der Verfrachter.

**Frei an Bord** (benannter Verschiffungshafen)/FOB Free on board (named port of shipment)
Der Verkäufer muß die Ware an Bord des Schiffes im benannten Verschiffungshafen liefern. Er trägt alle Kosten sowie die Gefahr des Verlusts oder der Beschädigung der Ware bis die Ware die Schiffsreling überschritten hat. Diese Klausel kann nur für den See- oder Binnenschiffstransport verwendet werden. Siehe auch **Incoterms.**

**Frei Frachtführer** (benannter Ort)/FCA Free Carrier (named place)
Der Verkäufer muß die Ware dem vom Käufer benannten Frachtführer am benannten Ort oder an der benannten Stelle übergeben. Er trägt alle Kosten sowie die Gefahr des Verlusts oder der Beschädigung der Ware bis die Ware dem Frachtführer übergeben worden ist. Diese Klausel kann für jede Beförderungsart, einschließlich des **multimodalen Transports,** verwendet werden. Siehe auch **Incoterms.**

**Frei Längsseite Schiff** (benannter Verschiffungshafen)/FAS Free alongside ship (named port of shipment)
Der Verkäufer muß die Ware längsseits des Schiffs im benannten Verschiffungshafen liefern. Er trägt alle Kosten sowie die Gefahr des Verlusts oder der Beschädigung der Ware bis die Ware längsseits des Schiffes geliefert worden ist. Diese Klausel kann nur für den See- oder Binnenschiffstransport verwendet werden. Siehe auch **Incoterms.**

**Geliefert ab Kai (verzollt)** (benannter Bestimmungshafen)/DEQ Delivered ex quay (duty paid) (named port of destination)
Der Verkäufer muß dem Käufer die Ware am Kai des benannten Bestimmungshafens zur Verfügung stellen. Er trägt die Gefahr des Verlusts oder der Beschädigung der Ware sowie die Kosten, einschließlich der bei der Einfuhr anfallenden Zölle, Steuern und anderen Abgaben, bis die Ware dem Käufer in der genannten Weise zur Verfügung gestellt worden ist. Diese Klausel kann nur für den See- oder Binnenschiffstransport verwendet werden. Siehe auch **Incoterms.**

**Geliefert ab Schiff** (benannter Bestimmungshafen)/DES Delivered ex ship (named port of destination)
Der Verkäufer muß dem Käufer die Ware an Bord des Schiffes im benannten Bestimmungshafen zur Verfügung stellen. Er trägt alle Kosten und die Gefahr des Verlusts oder der Beschädigung der Ware bis die Ware dem Käufer in der genannten Weise zur Verfügung gestellt worden ist. Diese Klausel kann nur für den See- oder Binnenschiffstransport verwendet werden. Siehe auch **Incoterms.**

**Geliefert Grenze** (benannter Ort)/DAF Delivered at frontier (named place)
Der Verkäufer muß dem Käufer die Ware an der benannten Stelle des benannten Grenzorts zur Verfügung stellen. Er trägt alle Kosten (einschließlich der Kosten für die Entladung) sowie die Gefahr des Verlusts oder der Beschädigung der Ware bis die Ware dem Käufer in der genannten Weise zur Vergügung gestellt worden ist. Die Klausel ist hauptsächlich für den Eisenbahn- oder Straßentransport vorgesehen, sie kann jedoch für jede Transportart verwendet werden. Siehe auch **Incoterms.**

**Geliefert unverzollt** (benannter Bestimmungsort)/DDU Delivered duty unpaid (named place of destination)

220 | 3333 3333 — 220-3333 3333

Shipper's Name and Address | Shipper's Account Number

Not negotiable
**Air Waybill***

Lufthansa

Issued by
Deutsche Lufthansa AG,
D-5000 Köln 21, Von-Gablenz-Straße 2—6

Member of International
Air Transport Association

Copies 1, 2 and 3 of this Air Waybill are originals and have the same validity

Consignee's Name and Address | Consignee's Account Number

It is agreed that the goods described herein are accepted for carriage in apparent good order and condition (except as noted) and SUBJECT TO THE CONDITIONS OF CONTRACT ON THE REVERSE HEREOF. THE SHIPPER'S ATTENTION IS DRAWN TO THE NOTICE CONCERNING CARRIER'S LIMITATION OF LIABILITY.

Issuing Carrier's Agent Name and City

Accounting Information

Agent's IATA Code | Account No.

Airport of Departure (Addr. of First Carrier) and Requested Routing

| To | By First Carrier (Routing and Destination) | To | By | To | By | Currency | CHGS Code | WT/VAL PPD | WT/VAL COLL | Other PPD | Other COLL | Declared Value for Carriage | Declared Value for Customs |
|---|---|---|---|---|---|---|---|---|---|---|---|---|---|
| | | | | | | | | | | | | | |

| Airport of Destination | Flight/Date (For Carrier Use Only) | Flight/Date | Amount of Insurance | INSURANCE — If Carrier offers insurance, and such insurance is requested in accordance with the conditions thereof, indicate amount to be insured in figures in box marked 'Amount of Insurance' |
|---|---|---|---|---|
| | | | | |

Handling Information

These commodities licensed by USA for ultimate destination ..................... Diversion contrary to USA law prohibited.

| No of Pieces RCP | Gross Weight | kg / lb | Rate Class / Commodity | Chargeable Weight | Rate / Charge | Total | Nature and Quantity of Goods (incl. Dimensions or Volume) |
|---|---|---|---|---|---|---|---|
| | | | | | | | |

| Prepaid | Weight Charge | Collect |
|---|---|---|
| | Valuation Charge | |
| | Tax | |
| | Total Other Charges Due Agent | |
| | Total Other Charges Due Carrier | |
| Total Prepaid | | Total Collect |
| Currency Conversion Rates | | CC Charges in Dest. Currency |
| For Carrier's Use only at Destination | | Charges at Destination |

Other Charges

Shipper certifies that the particulars on the face hereof are correct and that insofar as any part of the consignment contains dangerous goods, such part is properly described by name and is in proper condition for carriage by air according to the applicable Dangerous Goods Regulations.

Signature of Shipper or his Agent

Executed on (date) at (place) Signature of Issuing Carrier or its Agent

Total Collect Charges

220-3333 3333

* Luftfrachtbrief (nicht begebbar) — eine verbindliche Übersetzung dieses Frachtbriefformulars (einschließlich der Vertragsbedingungen) in die deutsche Sprache liegt bei allen Lufthansa Frachtbüros aus.

ORIGINAL 3 (FOR SHIPPER)

Form 30101 A89 (FRA LT 3) 10/89 Printed in the Fed. Rep. of Germany

Der Verkäufer muß dem Käufer die Ware am benannten Ort im Einfuhrland zur Verfügung stellen. Er trägt alle Kosten (außer den bei der Einfuhr anfallenden Zöllen, Steuern und anderen Abgaben) bis die Ware dem Käufer in der genannten Weise zur Verfügung gestellt worden ist. Diese Klausel kann für jede Transportart verwendet werden. Siehe auch **Incoterms.**

**Geliefert verzollt** (benannter Ort)/DDP Delivered duty paid (named place of destination)
Der Verkäufer hat hier die gleichen Verpflichtungen wie bei **Geliefert unverzollt,** muß aber zusätzlich auch noch die bei der Einfuhr anfallenden Zölle, Steuern und anderen Abgaben übernehmen.

**gemeinschaftliches Versandverfahren**
Es gibt zwei Arten des gemeinschaftlichen Versandverfahrens: Das externe gemeinschaftliche Versandverfahren mit Versandanmeldung T1 wird bei unverzollten Drittlandswaren angewandt und hat den Vorteil, daß diese Waren innerhalb der Gemeinschaft befördert werden können, ohne daß beim Übergang von einem Mitgliedstaat in einen anderen erneut Zollformalitäten zu erfüllen sind. Das interne gemeinschaftliche Versandverfahren mit Versandanmeldung T2 für **Gemeinschaftswaren** wird seit Inkrafttreten des europäischen Binnenmarktes am 1. Januar 1993 nur noch in Ausnahmefällen angewandt (z.B. wenn die Lieferung über ein EFTA-Land erfolgt). Grundsätzlich braucht seit dem 1. Januar 1993 der Gemeinschaftscharakter einer Ware nicht mehr gesondert nachgewiesen werden. In den noch bestehenden Ausnahmefällen gilt – soweit das interne gemeinschaftliche Versandverfahren vorgeschrieben ist – die Versandanmeldung T2, ansonsten das Versandpapier T2L, als positiver Statusnachweis. Siehe auch **Einheitspapier**.

**Gemeinschaftsverfahren**
Als Gemeinschaftsverfahren werden in der Europäischen Gemeinschaft Waren bezeichnet, die vollständig im Zollgebiet der Gemeinschaft gewonnen oder hergestellt worden sind sowie Waren mit Herkunft aus einem anderen Land oder Gebiet, die sich in der Gemeinschaft im freien Verkehr befinden. Um in den freien Verkehr zu gelangen, müssen die Drittlandswaren in der Gemeinschaft zollamtlich abgefertigt worden sein.

**gerichtliches Mahnverfahren**
Durch das gerichtliche Mahnverfahren kann sich der Gläubiger bei voraussichtlich unstreitigen Ansprüchen ohne Verhandlung einen vollstreckbaren Titel verschaffen. Als Antragsteller beantragt er beim Amtsgericht den Erlaß eines Mahnbescheids, durch den der Schuldner (Antragsgegner) aufgeforder wird, innerhalb der Widerspruchsfrist von 2 Wochen zu zahlen oder Widerspruch zu erheben. Erhebt er Wider-spruch, gibt das Amtsgericht (Mahngericht) die Angelegenheit an das für den Antragsgegner zuständige Gericht ab; es kommt dann zur Verhandlung. Unternimmt der Antragsgegner nichts, kann der Antragssteller frühestens nach Ablauf der Widerspruchsfrist den Erlaß eines Vollstreckungsbescheids beantragen. Der Antragsgegner hat jedoch die Möglichkeit, innerhalb 2 Wochen Einspruch gegen den Vollstreckungsbescheid einzulegen. Auch in diesem Fall erfolgt die Abgabe des Rechtsstreits durch das Mahngericht an das für den Antragsteller zuständige Gericht.

**Gerichtsstand**
Der Gerichtsstand ist der Ort, an dem bei einem Rechtsstreit geklagt werden muß. Der allgemeine Gerichtsstand ist jeweils der Wohn- oder Geschäftssitz des Beklagten; daneben kann auch ein Gerichtsstand vertraglich vereinbart werden (meist ist dies der Gerichtsstand des **Erfüllungsortes**). Gerichtsstandsvereinbarungen sind

jedoch nur bei Geschäften unter Kaufleuten erlaubt; bei Geschäften mit Letztverbrauchern gilt in jedem Fall der allgemeine Gerichtsstand.

**Gesellschaft mit beschränkter Haftung** (GmbH)
Die Gesellschaft mit beschränkter Haftung ist wie die AG eine Kapitalgesellschaft. Das Stammkapital ist in Stammeinlagen aufgeteilt, die jedoch nicht in Wertpapieren verbrieft sind.
Soweit keine Nachschußpflicht vorgesehen ist, beschränkt sich die Haftung der Gesellschafter auf ihre Einlage. Die Organe der GmbH sind: Gesellschafterversammlung, Geschäftsführung und eventuell ein Aufsichtsrat.

**GmbH** siehe **Gesellschaft mit beschränkter Haftung.**

**Handelsrabatt** siehe **Rabatt.**

**Handelsregister**
Das Handelsregister ist ein bei den Amtsgerichten geführtes Verzeichnis der Einzelkaufleute, Personengesellschaften **(offene Handelsgesellschaften** und **Kommanditgesellschaften)** und Kapitalgesellschaften **(Aktiengesellschaften, Gesellschaften mit beschränkter Haftung** und **Kommanditgesellschaften auf Aktien)** in dem betreffenden Amtsgerichtsbezirk. Alle im Handelsregister vorgenommenen Eintragungen, Änderungen und Löschungen werden veröffentlicht; außerdem kann das Handelsregister von jedermann eingesehen werden.

**Handelsvertreter**
Der Handelsvertreter ist ein selbständiger Kaufmann, der die Aufgabe hat, für seinen Auftraggeber Geschäfte zu vermitteln oder in dessen Namen abzuschließen. Für seine Tätigkeit erhält er eine Provision. Die Rechte und Pflichten des Handelsvertreters und die seines Auftraggebers werden im Vertretervertrag festgelegt. Handelsvertreter, die das alleinige Recht haben, den Auftraggeber in einem bestimmten Verkaufsgebiet zu vertreten, bezeichnet man als Alleinvertreter. Siehe auch **Kommissionär** und **Vertreter.**

**Händler**
Ein Händler ist für eigene Rechnung tätig. Er kann aufgrund eines Vertrages (Händlervertrag) an einen bestimmten Hersteller gebunden sein, der ihm das Alleinver-kaufsrecht für ein bestimmtes Gebiet übertragen hat (Vertragshändler). Ein Importeur, der als Vertragshändler für einen ausländischen Hersteller tätig ist, wird als Alleinimporteur bezeichnet.

**Handlungsbevollmächtigter**
siehe **Handlungsvollmacht.**

**Handlungsvollmacht**
Eine Vollmacht geringeren Umfangs als die **Prokura.** Sie berechtigt den Handlungsbevollmächtigten entweder zur Durchführung aller gewöhnlichen Geschäfte eines Handelsgewerbes (Generalvollmacht), zur Durchführung bestimmter Geschäfte der gleichen Art (Artvollmacht) oder zur Durchführung eines einzelnen Geschäfts (Einzelvollmacht). Die Erteilung der Handlungsvollmacht kann ausdrücklich oder stillschweigend erfolgen und wird nicht in das **Handelsregister** eingetragen.

**Industrie- und Handelskammer**
Die deutschen Industrie- und Handelskammern (in Hamburg und Bremen Handelskammern genannt) sind Körperschaften des öffentlichen Rechts mit Pflichtmitgliedschaft, die die Interessen der Wirtschaft vertreten. Sie haben sehr vielseitige Aufgaben; auf dem Gebiet der Außenwirtschaft sind dies z.B. Informationsdienst, Firmennachweis, Kooperationsvermittlung, die Ausstellung von Ursprungs-

zeugnissen und die Beglaubigung von Handelsrechnungen. Vergleiche **Auslandshandelskammer.**

**Incoterms**
Die Incoterms (International Commercial Terms) sind von der Internationalen Handelskammer in Paris aufgestellte internationale Regeln für die Auslegung der im internationalen Handel am häufigsten verwendeten Lieferklauseln. Sie haben rein privaten Charakter und gelten nur, wenn ihre Anwendung von Verkäufer und Käufer vereinbart wurde. Durch Anwendung der Incoterms werden Mißverständnisse und Streitigkeiten vermieden, da die Pflichten der Vertragsparteien, vor allem Kostenübernahme und Gefahrenübergang, eindeutig festgelegt werden.
Die Incoterms wurden im Jahre 1936 erstmals herausgebracht und sind inzwischen mehrmals revidiert worden. Die Klauseln der seit dem 1. Juli 1990 gültigen *Incoterms 1990* sind auf S. 33 aufgeführt und werden in diesem Fachwörterlexikon kurz definiert.

**Joint Venture**
Im weiteren Sinne umfaßt Joint Venture alle Formen der **Kooperation.** Im engeren Sinne handelt es sich dabei um eine Gemeinschaftsgründung, wobei die Joint Venture-Partner gemeinsam ein Unternehmen im Land eines der Partner oder in einem Drittland errichten oder erwerben.

**Kasse gegen Dokumente**
Bei der Zahlungsform Kasse gegen **Dokumente** übergibt der Exporteur seiner Bank die Dokumente mit der Anweisung, diese über ihre Filiale oder Korrespondenzbank im Einfuhrland gegen Zahlung des Rechnungsbetrages auszuhändigen.

**Kaufmann**
Für Kaufleute gilt das Handelsrecht, das im Handelsgesetzbuch (HGB) kodifiziert ist. Es gibt Kaufleute kraft Geschäftsart, Kaufleute kraft Eintragung in das **Handelsregister** und Kaufleute kraft Rechtsform. Ein Kaufmann kraft Geschäftsart ist jemand, der ein Handelsgewerbe ausübt. Er kann Voll- oder Minderkaufmann sein, je nachdem ob ein in kaufmännischer Weise eingerichteter Geschäftsbetrieb erforderlich ist oder nicht. Kaufleute kraft Eintragung ins **Handelsregisters** erwerben die Kaufmannseigenschaft erst durch die pflichtgemäße oder freiwillige Eintragung. Kaufleute kraft Rechtsform sind alle Kapitalgesellschaften (juristische Personen) ohne Rücksicht auf die Art ihrer Tätigkeit. Ein Kaufmann führt eine Firma (Name, unter dem er seine Geschäfte betreibt und seine Unterschrift abgibt), er muß im Handelsregister eingetragen sein, kann **Prokura** erteilen und unterliegt der gesetzlichen Buchführungspflicht (gilt nicht für den Minderkaufmann).

**KG** siehe **Kommanditgesellschaft.**

**KGaA** siehe **Kommanditgesellschaft auf Aktien.**

**Kommanditgesellschaft**
Die Kommanditgesellschaft ist wie die **oHG** eine Handelsgesellschaft ohne eigene Rechtspersönlichkeit (Personengesellschaft). Sie besteht aus einem oder mehreren Gesellschaftern, die unbeschränkt (d.h. auch mit ihrem Privatvermögen) für die Schulden der Gesellschaft haften (Vollhafter oder Komplementäre) und mindestens einem Gesellschafter, dessen Haftung auf seine Einlage beschränkt ist (Teilhafter oder Kommanditist). Die Geschäftsführung liegt in den Händen des bzw. der Vollhafter.

**Kommanditgesellschaft auf Aktien** (KGaA)
Die Kommanditgesellschaft auf Aktien ist eine Mischform zwischen **Kommanditgesellschaft** und **Aktiengesellschaft,** bei

der mindestens ein Gesellschafter mit seinem ganzen Vermögen haftet (Komplementär) und die übrigen Gesellschafter mit Einlagen auf das in Aktien zerlegte Grundkapital beteiligt sind. Die KGaA ist eine Form der Kapitalgesellschaft, die in der Praxis nur selten vorkommt.

**Kommissionär**

Der Kommissionär ist – wie der **Handelsvertreter** – ein selbständiger, auf Provisionsbasis tätiger Kaufmann. Er hat die Aufgabe, Waren für Rechnung eines anderen (des Kommittenten) im eigenen Namen zu kaufen oder zu verkaufen. Der Verkaufskommissionär im Außenhandel wird meist Konsignatar genannt. Das Kommissionsgeschäft bezeichnet man in diesem Fall als Konsignationsgeschäft, den Kommittenten als Konsignanten, das Kommissionslager als Konsignationslager und die Kommissionsware als Konsignationsware.
Die im Konsignationslager befindliche Konsignationsware wird dem Konsignatar vom Konsignaten zum Zwecke des Verkaufs zur Verfügung gestellt. Der Konsignatar verkauft die Ware an seine Kunden und nimmt auch das Geld in Empfang. Von Zeit zu Zeit rechnet er mit dem Konsignanten ab und überweist den Verkaufserlös abzüglich seiner Provision.

**Konnossement** (siehe S. 118)

Das Konnossement ist ein Frachtdokument in der Seeschiffahrt. Es wird meist in mehreren Originalen ausgestellt und vom Reeder (oder dessen Vertreter) gezeichnet, der verspricht, die Sendung im Bestimmungshafen gegen Vorlage eines (oder sämtlicher) der Originale auszuliefern. Erfolgt die Auslieferung gegen eines der Originale, werden die übrigen dadurch ungültig.
Das Konnossement bestätigt entweder die Verladung der Sendung an Bord eines bestimmten Schiffes (Bordkonnossement) oder lediglich die Übernahme der Sendung zur späteren Verladung (Empfangs- oder Übernahmekonnossement). Ein Konnossement wird als „rein" bezeichnet, wenn es keinen auf äußere Mängel der Sendung hinweisenden Vermerk trägt; trägt es einen solchen Vermerk, bezeichnet man es als „unrein".
Konnossemente sind Traditionspapiere, mit denen über die Ware verfügt werden kann, d.h. die Übergabe des Konnossements ersetzt die Übergabe der Ware selbst. In der Regel lautet das Konnossement an Order und kann durch Indossament übertragen werden. Auf Orderkonnossementen wird meist eine sogenannte „Notify-Adresse" angegeben, an die sich der Reedereivertreter im Bestimmungshafen nach Ankunft des Schiffes wenden kann.

**Konsignationslager** siehe **Kommissionär.**

**Kooperation**

Als Kooperation bezeichnet man die Zusammenarbeit zwischen rechtlich selbständigen Firmen. Bereiche der Zusammenarbeit, durch die die Wettbewerbsfähigkeit der beteiligten Unternehmen gesteigert werden soll, sind z.B. Forschung und Entwicklung, Produktion, Werbung und Vertrieb, wobei die Spanne vom bloßen Informations- und Erfahrungsaustausch bis zur gemeinsamen Durchführung einer oder mehrerer Funktionen reicht. Kooperationen können auch Lizenzfertigung (eventuell gegenseitige Lizenzvergabe) oder Gemeinschaftsgründungen **(Joint Ventures)** vorsehen.

**Kosten und Fracht** (benannter Bestimmungshafen)/CFR Cost and freight (named port of destination)

Der Verkäufer muß die Kosten und die Fracht tragen, die erforderlich sind, um die Ware zum benannten Bestimmungshafen zu befördern. Er trägt die Gefahr des Verlusts oder der Beschädigung der Ware

## Konnossement

BILL OF LADING FOR COMBINED TRANSPORT SHIPMENT OR PORT TO PORT SHIPMENT

Shipper

B/L No.

Booking Ref.:

Shipper's Ref.:

**BEN OCEAN**

The Ben Line Steamers Limited
Overseas Containers Limited

Managers: **Wm. Thomson & Co., Edinburgh**

**BEN OCEAN INDONESIA SERVICE**

Consignee

Notify Party Address (It is agreed that no responsibility shall attach to the Carrier or his Agents for failure to notify the Consignee of the arrival of the Goods (see clause 20 on reverse))

Place of Receipt (Applicable only when this document is used as a Combined Transport Bill of Lading)

Ocean Vessel and Voy. No.

Port of Loading

Place of Delivery (Applicable only when this document is used as a Combined Transport Bill of Lading)

Port of Discharge

| Marks and Nos; Container Nos; | Number and kind of Packages; description of Goods | Gross Weight (kg) | Measurement (cbm) |
|---|---|---|---|
| | | | |

ABOVE PARTICULARS AS DECLARED BY SHIPPER

* Total No. of Containers Packages

Movement

Received by the Carrier from the Shipper in apparent good order and condition (unless otherwise noted herein) the total numbers or quantity of Containers or packages or units, indicated* stated by the Shipper to comprise the Goods specified above, for Carriage subject to all the terms hereof (INCLUDING THE TERMS ON THE REVERSE HEREOF AND THE TERMS OF THE CARRIER'S APPLICABLE TARIFF) from the Place of Receipt or the Port of Loading, whichever is applicable, to the Port of Discharge or the Place of Delivery, whichever is applicable. In accepting this Bill of Lading the Merchant expressly accepts and agrees to all its terms, conditions and exceptions, whether printed, stamped or written, or otherwise incorporated, notwithstanding the non-signing of this Bill of Lading by the Merchant.

**Freight payable at**

Place and Date of Issue

Number of Original Bills of Lading

IN WITNESS of the contract herein contained the number of originals stated opposite has been issued, one of which being accomplished the other(s) to be void.

For the Carrier:

As Agent(s) only.

jedoch nur bis die Ware die Reling des Schiffes im Verschiffungshafen überschritten hat. Kosten, die nach Überschreiten der Reling anfallen, gehen zu Lasten des Käufers. Diese Klausel kann nur für den See- oder Binnenschiffstransport verwendet werden. Siehe auch **Incoterms.**

**Kosten, Versicherung und Fracht** (benannter Bestimmungshafen)/CIF Cost, insurance and freight (named port of destination)
Bei dieser Klausel hat der Verkäufer die gleichen Verpflichtungen wie bei **Kosten und Fracht,** er muß jedoch zusätzlich die Seetransportversicherung gegen die vom Käufer zu tragende Gefahr des Verlusts oder der Beschädigung der Ware abschließen und die Versicherungsprämie zahlen. Siehe auch **Incoterms.**

**Lizenzfertigung**
Lizenzfertigung ist die Fertigung von Erzeugnissen durch einen Lizenznehmer, dem das Recht, die Produkte zu fertigen und zu vertreiben, vom Lizenzgeber aufgrund eines Lizenzvertrages erteilt wurde. Der Lizenzgeber überläßt dem Lizenznehmer seine Fertigungsunterlagen, Patente und Warenzeichen sowie seine bei der Herstellung der Erzeugnisse gesammelte Erfahrung (Know-how). Der Lizenznehmer zahlt dafür an den Lizenzgeber eine Lizenzgebühr, die meist als bestimmter Prozentsatz des Verkaufspreises der Lizenzerzeugnisse berechnet wird.

**Mahnbescheid** siehe **gerichtliches Mahnverfahren.**

**Multimodaler Transport**
Als multimodalen Transport bezeichnet man den Transport von größeren Ladeeinheiten, z.B. Paletten und Container, durch verschiedene Verkehrsträger (kombinierter Verkehr).

**Nachnahme**
Bei Lieferung gegen Nachnahme wird der Rechnungsbetrag durch die Post, den **Frachtführer** oder den **Spediteur** eingezogen. Der Käufer erhält die Ware erst, nachdem er gezahlt hat. Die dokumentäre Form des Nachnahmegeschäfts ist **Kasse gegen Dokumente.**

**oHG** siehe **offene Handelsgesellschaft.**

**offene Handelsgesellschaft** (oHG)
Die offene Handelsgesellschaft ist wie die KG eine Personengesellschaft. Sie besteht aus zwei oder mehr Gesellschaftern, die alle unbeschränkt für die Schulden der Gesellschaft haften und grundsätzlich das Recht haben, an der Geschäftsführung teilzunehmen.

**Proforma-Rechnung**
Die Proforma-Rechnung ist eine Rechnung zu Informationszwecken. Sie stellt in der Regel keine Zahlungsaufforderung dar, sondern wird zu dem Zweck ausgestellt, den Käufer oder eine Behörde des Einfuhrlandes über die Einzelheiten einer Warensendung zu unterrichten. Proforma-Rechnungen können ein Angebot darstellen oder den Importeur über die Höhe des zu eröffnenden Akkreditivs informieren. Eventuell sind sie auch der Zollbehörde oder der für die Erteilung von Einfuhrlizenzen zuständigen Behörde vorzulegen.

**Prokura**
Die Prokura ist eine umfassende Vollmacht, die den Prokuristen berechtigt, den gesamten Geschäftsverkehr zu führen und auch Handlungen vorzunehmen, die über den üblichen Rahmen des Geschäfts hinausgehen, soweit diese nicht dem Inhaber vorbehalten sind. Erteilung und Erlöschen der Prokura sind zur Eintragung ins **Handelsregister** anzumelden.

**Prokurist** siehe **Prokura.**

**Rabatt**
Rabatt ist ein Preisnachlaß, der aus verschiedenen Gründen gewährt wird. Man unterscheidet z.B. den Mengenrabatt für die Abnahme größerer Mengen, den Frühbezugsrabatt für frühzeitige Bestellung und den Treuerabatt für langjährige Kunden. Wenn die Ware einem Händler zum Bruttopreis (Endverkaufspreis) in Rechnung gestellt wird, erhält der Händler auf diesen Preis einen Händlerrabatt. Der Händlerrabatt stellt die Rohgewinnspanne des Händlers dar. Oft kommen mehrere Rabattarten gleichzeitig zur Anwendung. Vergleiche **Skonto.**

**Scheck** (siehe S. 121)
Der Scheck ist eine Urkunde, durch die ein Kontoinhaber seine Bank anweist, bei Sicht aus seinem Guthaben einen bestimmten Geldbetrag zu zahlen. Ein Verrechnungsscheck wird nicht bar ausgezahlt, sondern dem Konto des Einreichers gutgeschrieben.

**Schiedsgericht**
Um einen Rechtsstreit vor einem ordentlichen Gericht zu vermeiden, wird bei Verträgen mit ausländischen Geschäftspartnern oft vereinbart, daß eventuell auftretende Streitigkeiten durch ein Schiedsverfahren (Arbitrageverfahren) beigelegt werden sollen. Bei einem solchen Verfahren unterwerfen sich die beiden Parteien durch freie Vereinbarung der Entscheidung eines oder mehrerer Schiedsrichter, die Schiedsspruch genannt wird.

**Skonto**
Als Skonto bezeichnet man den Nachlaß, der auf den Rechnungsbetrag bei Barzahlung innerhalb einer bestimmten Frist gewährt wird. Vergleiche **Rabatt.**

**Spediteur**
Aufgabe des Spediteurs ist die Vermittlung von Transporten; soweit er über geeignete Transportmittel verfügt, kann er den Transport ganz oder teilweise auch selbst ausführen.

**Transportversicherung**
Die Transportversicherung umfaßt die Versicherung der beförderten Güter (Güterversicherung) und des dabei verwendeten Transportmittels (Kaskoversicherung). In einem Güterversicherungsvertrag verpflichtet sich der Versicherer, während der Dauer des Vertrages gegen Zahlung einer bestimmten Prämie alle Verluste und Schäden im vereinbarten bedingungsgemäßen Umfang bis zur Höhe der Versicherungssumme zu ersetzen. Über den Versicherungsvertrag wird eine Urkunde, die Police, ausgestellt. Man unterscheidet Einzelpolicen, die eine einzelne Sendung dekken, Generalpolicen, die sich auf sämtliche Transporte des Versicherungsnehmers erstrecken, und Abschreibepolicen, die für eine pauschale Versicherungssumme ausgestellt werden (der Wert der einzelnen Sendungen wird dann von dieser Summe abgezogen). Bei den zuletzt genannten Arten von Policen stellt der Versicherer auf Wunsch Versicherungszertifikate aus, die als Versicherungsnachweise für die einzelnen, aufgrund der Police versicherten Sendungen dienen. Die Versicherung von Haus zu Haus deckt die Güter während der ganzen Reise, vom Versandort bis zum Bestimmungsort bzw. bis zum Ablauf einer bestimmten Zeit nach Ankunft im Bestimmungsort.

**Umsatzsteuer**
In allen Ländern der Europäischen Gemeinschaft wird Umsatzsteuer in Form der Mehrwertsteuer (MwSt.) erhoben. Trotz einer gewissen Harmonisierung in diesem Bereich gibt es noch immer erhebliche Unterschiede zwischen den Mitgliedsstaaten. Da eine weitergehende Harmonisierung nicht zu erreichen war, wurde bei Inkrafttreten des europäischen

Absender:

DM

Rechnung Nr./vom

Bitte vor dem Einreichen an die Bank hier abtrennen!

Nur zur Verrechnung

**BAYERISCHE VEREINSBANK**
AKTIENGESELLSCHAFT

Bankleitzahl **700 202 70**

MÜNCHEN

Zahlen Sie gegen diesen Scheck aus meinem/unserem Guthaben

DM

Pf

Deutsche Mark in Buchstaben

wie nebenstehend

oder Überbringer

an

Ausstellungsort

Datum

Unterschrift des Ausstellers

Der vorgedruckte Schecktext darf nicht geändert oder gestrichen werden. Die Angabe einer Zahlungsfrist auf dem Scheck gilt als nicht geschrieben.

| Scheck-Nr. | Konto-Nr. | Betrag | Bankleitzahl | Text |
|---|---|---|---|---|
| 000009666590O | 36102500 | | 70020270 | 01 |

Bitte dieses Feld nicht beschriften und nicht bestempeln

Binnenmarktes am 1. Januar 1993 eine umsatzsteuerliche Übergangsregelung (zunächst befristet bis Ende 1996) eingeführt: Waren, die ein Unternehmer im Rahmen des innergemeinschaftlichen Warenverkehrs aus einem Mitgliedstaat in einen anderen liefert (innergemeinschaftliche Lieferungen), sind grundsätzlich umsatzsteuerfrei. Der Erwerb solcher Waren durch einen Unternehmer in einem anderen Mitgliedstaat (innergemeinschaftlicher Erwerb) ist grundsätzlich umsatzsteuerpflichtig, wobei die Versteuerung nach dem Recht des EG-Mitgliedstaates erfolgt, in das die Waren geliefert werden. Der Lieferant muß auf der Rechnung über die steuerfreie innergemeinschaftliche Lieferung seine Umsatzsteuer-Identifikationsnummer (USt-IdNr.) und die seines Abnehmers angeben. Soweit erforderlich (wie in Deutschland), ist außerdem ein Vermerk anzubringen, in dem auf die Umsatzsteuerfreiheit der Lieferung hingewiesen wird.
Für den Handelsverkehr mit Drittländern gilt das bisherige Umsatzsteuerrecht: Deutsche Lieferungen in diese Länder sind steuerfrei, Einfuhren aus diesen Ländern unterliegen der Einfuhrumsatzsteuer.

**Ursprungszeugnis** (siehe S. 123)
Urkunde, die den Ursprung einer Ware bestätigt. Ursprungszeugnisse für gewerbliche Waren werden in der Bundesrepublik von den Industrie- und Handelskammern sowie den Handwerkskammern. In allen Mitgliedstaaten der Europäischen Gemeinschaft wird ein einheitlicher Vordruck für das Ursprungszeugnis verwendet.

**USt-IdNr.**
siehe **Umsatzsteuer**

**Versicherung**
siehe **Transportversicherung.**

**Versicherung von Haus zu Haus** siehe **Transportversicherung.**

**Versicherungspolice** siehe **Transportversicherung.**

**Versicherungszertifikat** siehe **Transportversicherung.**

**Vertreter**
Als Vertreter bezeichnet man Personen, die ständig damit beauftragt sind, für einen anderen Geschäfte zu vermitteln oder abzuschließen. Sie können Angestellte (Reisende) oder selbständige Kaufleute **(Handelsvertreter)** sein. Auch der an einen bestimmten Hersteller gebundene **Händler** (Vertragshändler, Alleinimporteuer) wird in der Praxis oft Vertreter genannt.

**Wechsel** (siehe S. 124)
Der gezogene Wechsel (Tratte) ist eine Urkunde, durch die der Aussteller (Trassant) den Bezogenen (Trassat) auffordert, eine bestimmte Summe zu einem bestimmten Zeitpunkt an ihn (d.h. den Aussteller selbst) oder einen Dritten zu zahlen. Derjenige, an den gezahlt werden soll, wird Wechselnehmer (Remittent) genannt. Der Aussteller kann – wie aus der obigen Definition hervorgeht – gleichzeitig Remittent sein.
Nach dem Verfall unterscheidet man Sichtwechsel, die bei Vorlage fällig sind, sowie Wechsel, die an einem bestimmten Tag oder eine bestimmte Zeit nach dem Ausstellungsdatum oder nach Sicht (d.h. nach der ersten Vorlage) fällig werden. Alle Wechsel außer den Sichtwechseln müssen vom Bezogenen akzeptiert werden. Das Akzept ist die Unterschrift des Bezogenen auf dem Wechsel, durch die er sich verpflichtet, den Wechsel bei Verfall einzulösen. Der akzeptierte Wechsel wird ebenfalls Akzept genannt. Den Bezogenen, der den Wechsel akzeptiert hat, bezeichnet man als Akzeptant.

1 Absender - *Consignor - Expéditeur - Expedidor*

C 214612 *

**ORIGINAL**

**EUROPÄISCHE GEMEINSCHAFT**
*EUROPEAN COMMUNITY - COMMUNAUTE EUROPEENNE - COMUNIDAD EUROPEA*

**URSPRUNGSZEUGNIS**
*CERTIFICATE OF ORIGIN - CERTIFICAT D'ORIGINE - CERTIFICADO DE ORIGEN*

2 Empfänger - *Consignee - Destinataire - Destinatario*

3 Ursprungsland - *Country of origin - Pays d'origine - Pais de origen*

4 Angaben über die Beförderung - *means of transport - expédition - expedición*

5 Bemerkungen - *remarks - observations - observaciones*

6 Laufende Nummer; Zeichen, Nummern, Anzahl und Art der Packstücke; Warenbezeichnung

7 Menge

8 DIE UNTERZEICHNENDE STELLE BESCHEINIGT, DASS DIE OBEN BEZEICHNETEN WAREN IHREN URSPRUNG IN DEM IN FELD 3 GENANNTEN LAND HABEN
*The undersigned authority certifies that the goods described above originate in the country shown in box 3*
*L'autorité soussignée certifie que les marchandises désignées ci-dessus sont originaires du pays figurant dans la case No. 3*
*La autoridad infrascrita certifica que las mercancías abajo mencionadas son originarias del país que figura en la casilla no. 3*

Ort und Datum der Ausstellung; Bezeichnung, Unterschrift und Stempel der zuständigen Stelle

Genehmigt durch Erlaß des Bundesministers der Finanzen vom 22. Mai 1969 III B/8 – Z 1351 – 18/69

EDV-Nr. 59087
Kommunalschriften-Verlag J. Jehle München GmbH, Postfach 80 19 40, Vogelweideplatz 10, 8000 München 80,
Telefon: 0 89/41 60 06-40, Telefax: 0 89/4 70 69 98

______________________, den ______________ 19 ____
Ort und Tag der Ausstellung (Monat in Buchstaben)

| Nr. d. Zahl.-Ortes | Zahlungsort | Verfalltag |
|---|---|---|
| | | |

Gegen diesen **Wechsel** – erste Ausfertigung – zahlen Sie am ______________ 19 ____
Monat in Buchstaben

an ______________________ DM ______________
Betrag in Ziffern

Deutsche Mark ______________________ Pfennig wie oben
Betrag in Buchstaben

**Bezogener** ______________________

______________________

in ______________________
Ort und Straße (genaue Anschrift)

Zahlbar in ______________________
Zahlungsort

bei ______________________ ______________
Name des Kreditinstituts z. L. Konto Nr.

Unterschrift und genaue Anschrift des Ausstellers

Stempelmarken auf der Rückseite unmittelbar unter diesem Rande aufkleben

Dieses Wörterverzeichnis umfaßt den gesamten im Buch enthaltenen fachbezogenen Wortschatz, vor allem die kaufmännisch-wirtschaftlichen, handelsrechtlichen und technischen Begriffe.

**Deutsch**

**Englisch**

**Französisch**

**Italienisch**

**Spanisch**



Abkürzungen:

| | | |
|---|---|---|
| *Akkr.* | = | Akkreditiv |
| *Buchf.* | = | Buchführung |
| *etw.* | = | etwas |
| *f* | = | Femininum |
| *gerichtl. Mahnv.* | = | gerichtliches Mahnverfahren |
| *jdm* | = | jemandem |
| *jdn* | = | jemanden |
| *m* | = | Maskulinum |
| *n* | = | Neutrum |
| *od.* | = | oder |
| *pl* | = | Plural |
| *s.* | = | siehe |
| *Seevers.* | = | Seeversicherung |
| *Vers.* | = | Versicherungswirtschaft |

| Deutsch | Englisch | Französisch | Italienisch | Spanisch |
|---|---|---|---|---|
| **A** | | | | |
| abfertigen, zollamtlich ~ | clear through the customs | dédouaner | sottoporre a visita doganale | despachar (en la aduana) |
| Abgabe *f*, -n | levy | charges, frais | tributo | exacción |
| Abladegewicht *n* | shipping weight | poids au déchargement | peso di scarico | peso de descarga |
| Ablehnung *f* | refusal, rejection | refus | rifiuto | rechazo, denegación |
| Abmachung *f*, -en | agreement | accord | accordo | acuerdo |
| Abnehmer *m*, - | customer | client, acheteur | cliente | cliente |
| Abnutzung, natürliche ~ | wear and tear | usure naturelle | logorio naturale | desgaste natural |
| Abonnement *n*, -s | subscription | abonnement | abbonamento | suscripción |
| im ~ | on a subscription basis | par abonnement | in abbonamento | a base de suscripción |
| abrechnen | settle accounts | solder | regolare i conti | ajustar las cuentas |
| abrufen *(Daten)* | retrieve | appeler *(texte, donnée)* | richiamare | consultar datos, interrogar datos, reclamar datos (de la memoria) |
| Absatz m | distribution, marketing; (unit) sales | vente, débouché, distribution | sbocco, distribuzione; vendita | distribución, comercialización, ventas |
| guten ~ finden | find a ready market | qui se vend bien | vendersi bene | encontrar buena aceptación, tener buena venta |
| ~mittler *m*, - | marketing middleman | médiateur, agent commercial | agente di vendita, intermediario | intermediario de ventas |
| ~schwierigkeiten *pl* | marketing problems, difficulty to move stocks | mévente, difficultés d'écoulement | difficoltà di vendita | dificultades de venta |
| Abschlagszahlung *f*, -en | payment on acccount | acompte | pagamento in acconto | pago a cuenta |
| abschließen, Geschäfte ~ | conclude business | conclure des affaires | concludere affari | concertar negocios, concluir negocios |
| Abschluß *s.* Geschäftsabschluß | | | | |
| Abschluß eines Vertrages | conclusion of a contract | conclusion d'un contrat | stipulazione di un contratto | firma de un contrato; conclusión de un contrato |
| Abschreibepolice *f*, -n | floating policy | police flottante | polizza flottante | póliza flotante |
| absetzen *(Waren)* | sell, dispose of | écouler, vendre, distribuer | vendere, smerciare | vender, enajenar |
| Abstimmung *f (von Konten)* | reconciliation | vérification des comptes | appuramento | reconciliación contable, cuadramiento de cuentas |
| Abteilwagen *m*, - | railway passenger car | wagon à compartiment | carrozza a scompartimenti | coche de pasajeros |
| Abwicklung eines Auftrags | execution of an order | éxécution d'une commande | esecuzione di un ordine | ejecución de un pedido |
| Abzug, ohne ~ | without deductions, net | sans escompte, sans remise | senza sconto | sin deducción, neto |
| Adressenverwaltung *f*, -en | address file | gestion du fichier d'adresses | gestione indirizzi | fichero de direcciones |
| AG s. Aktiengesellschaft | | | | |
| Aktie *f*, -n | share | action | azione | acción |

| | | | | |
|---|---|---|---|---|
| | enterprise in Germany *(similar to the British public limited company or the American open corporation)* | par actions | | por acciones |
| Aktionär *m*, -e | shareholder | actionnaire | azionista | accionista |
| Akzept *n*, -e | acceptance | acceptation | accettazione | aceptación |
| Akzeptant *m*, -en | acceptor | tiré | accettante | aceptante |
| akzeptieren | accept | accepter | accettare | aceptar |
| Akzeptierung *f* | acceptance | acceptation | accettazione | aceptación |
| Alleinerbe *m*, -en | sole heir | héritier universel | erede universale | heredero universal, heredero único |
| Alleinimporteur *m*, -e | sole importer, sole distributor | importateur exclusif | importatore esclusivo | importador en exclusiva, único importador, distribuidor exclusivo |
| Alleinverkaufsrecht *n*, -e | sole selling right, exclusive right of sale | droit de vente exclusif | diritto di vendita esclusiva | derecho de venta (en) exclusiva |
| Alleinvertreter *m*, - | sole agent | représentant exclusif | rappresentante esclusivo | representante exclusivo |
| Alleinvertretung *f*, -en | sole agency | agence exclusive de distribution | rappresentanza esclusiva | representación (en) exclusiva, agencia exclusiva |
| Allgemeine Geschäftsbedingungen | general terms of business | conditions générales de vente | condizioni generali di contratto | condiciones generales de contratación |
| Alu-Leiter *f*, -n | aluminium ladder | échelle en aluminium | scala di alluminio | escalera de aluminio |
| Amtsgericht *n*, -e | local court *(in Germany)* | tribunal de première instance | pretura | juzgado municipal |
| Anbahnung von geschäftlichen Kontakten | establishing business contacts | engager des relations commerciales | avviare una relazione d'affari | establecimiento de contactos comerciales |
| Anbauregal *n*, -e | modular shelf | étagère à éléments | scaffale componibile | estante de elementos |
| Anfrage *f*, -n | enquiry | demande de prix, appel d'offres | richiesta, domanda | solicitud de información |
| Angebot *n*, -e | offer, quotation, quote, bid; range of goods handled, product range | offre, assortiment | offerta; gamma di prodotti | oferta, gama de productos, surtido |
| Angefragte *f*, -n *(Firma, über die eine Anfrage vorliegt)* | the subject company | entreprise sur laquelle porte la demande de renseignements | ditta in questione | empresa sobre la que se solicita información |
| angemessen | adequate, reasonable, appropriate | approprié, convenable, raisonnable | adeguato | adecuado, razonable, apropiado, suficiente |
| Angestellte *m*, -n | salaried employee | employé | impiegato | empleado |
| Anlage *f*, -en | enclosure | pièce-jointe, annexe | allegato | anexo |
| ~vermerk *m*, -e | enclosure notation | notification des pièces-jointes | indicazione degli allegati | nota sobre el anexo |

| Deutsch | Englisch | Französisch | Italienisch | Spanisch |
|---|---|---|---|---|
| Anmeldung zum gemeinschaftlichen Versandverfahren | application for admission to the Community Transit Procedure | demande d'utilisation du système de transit-communautaire (C.E.) | domanda di ammissione alla procedura di transito comunitario | solicitud de admisión al procedimiento de tránsito comunitario |
| Annahme *f* | acceptance | réception | accettazione | aceptación |
| Anrede *f*, -n | salutation | début de lettre/appel | formula d'apertura di una lettera | (fórmula de) salutación |
| Anrufbeantworter *m*, - | telephone answering device | répondeur automatique | segreteria telefonica | contestador (automático de llamadas) |
| Anspruch, etw. in ~ nehmen | avail os of, utilize | faire usage de qc, se servir de qc | ricorrere a qc., avvalersi di qc. | utilizar, emplear |
| jdn für einen Schaden in ~ nehmen | hold sb responsible for a loss | faire valoir ses droits auprès de quelqu'un | chiamare qd. a rispondere di un danno | hacer responsable a alg. de un daño |
| Anteil *m*, -e | share | part, titre | quota | participación |
| Antragsgegner *m (gerichtl. Mahnv.)* | defendant | défendeur | opponente | parte demandada; deudor |
| Antragsteller *m (gerichtl. Mahnv.)* | plaintiff | demandeur | richiedente | demandante; acreedor |
| Antriebsmotor *m*, -en | drive motor | moteur d'entraînement | motore di azionamento | motor de accionamiento, motor de impulsión |
| anwählen | to dial | composé un numéro, appeler | comporre il numero | marcar |
| anweisen | instruct | donner l'ordre de faire qc, donner des instructions | ordinare | ordenar, instruir |
| Anzeige *f*, -n | advertisement | annonce | inserzione | anuncio |
| Arbeitnehmer *m*, - | employee | salarié, employé | prestatore d'opera | empleado, trabajador; plantilla |
| Arbeitsplatzcomputer *m*, - | workstation computer | ordinateur périphérique | computer sul posto di lavoro | ordenador periférico |
| Arbitrage *f* | arbitration | arbitrage | arbitraggio | arbitraje |
| ~ verfahren *n*, - | arbitration proceedings | procédure d'arbitrage | procedimento arbitrale | procedimiento arbitral |
| Artvollmacht *f* | *Handlungsvollmacht* authorizing holder to transact certain kinds of business | procuration autorisant le porteur à réaliser certaines transactions | mandato commerciale (che autorizza il mandatario a compiere un certo tipo di operazioni) | poder especial mercantil (que autoriza al titular a realizar cierta clase de operaciones) |
| aufarbeiten, Auftragsrück–stand - | work off a backlog of orders | mettre à jour l'arriéré de commandes | sbrigare gli ordini arretrati | poner al día los pedidos atrasados |
| aufrufen, Text ~ | call up text | rappeler un texte | richiamare il testo | llamar un texto |
| Aufsichtsrat *m*, e ¨– | supervisory board | conseil de surveillance | consiglio d'amministrazione, collegio sindicale | consejo de supervisión |
| Aufstellung *f (einer Maschine)* | installation | installation, mise en place | installazione | instalación |
| Aufstellung *f*, -en *(Auflistung)* | list, itemization, tabulation | liste, relevé | elenco, distinta | (puesta en) lista, |

| Deutsch | English | Français | Italiano | Español |
|---|---|---|---|---|
| Auftrag *m*, ¨-e | order | commande, ordre | ordine | pedido, orden, encargo |
| ~geber *m*, - | person placing an order, customer; principal; applicant (for a letter of credit) | client, acheteur | cliente, committente; mandante | persona que pasa una orden, comitente, mandante; cliente |
| ~sbestätigung *f*, -en | acknowledgement of order | confirmation de commande | conferma d'ordine | confirmación del pedido; acuse de recibo de la orden |
| ~sbuch *n*, ¨-er | order book | carnet de commandes | portafoglio ordini | libro de pedidos |
| ~srückstand *m*, ¨-e | backlog of orders | arriéré de commandes | ordini arretrati | retraso en la ejecución de pedidos |
| ausdrücklich | express(ly) | exprès, formel | esplicito, espressamente | expreso, expresamente |
| Ausfall *m*, ¨-e | failure, breakdown; (financial) loss | perte, déficit, | perdita | pérdida, fallo |
| ausgleichen, Konto ~ | balance an account, settle an account | régulariser un compte | pareggiare un conto | saldar una cuenta, liquidar una cuenta |
| Auskunft *f*, ¨-e | information, reference | renseignement, références, informations | informazione | información, referencia |
| Auslagen *pl* | expenses | frais, coûts, dépenses | spese | gastos, desembolso |
| Auslandsabteilung *f*, -en | foreign department, export department | service du commerce extérieur, service export | reparto estero | departamento extranjero, departamento(de comercio) exterior, departamento de exportación |
| Auslandshandels-kammer *f*, -n | binational chamber of commerce | chambre du commerce extérieur | camera di commercio estero | cámara de comercio en el extranjero |
| Auslandsvertreter m, - | foreign agent | représentant à l'étranger | rappresentante all'estero | agente comercial en el extranjero |
| Ausschuß *m (fehlerhafte Produkte)* | faulty goods, reject(s) | marchandise défectueuse, rebut | merce di scarto | productos defectuosos, mercancía rechazada |
| Aussteller *m*, - *(Wechsel)* | drawer | tireur | emittente | librador, girador |
| Austausch von Teilen | replacement of parts | remplacement de pièces | sostituzione di pezzi | reemplazo de piezas, reposición de piezas |
| Außenhandelsunter-nehmen *n*, - | enterprise engaged in foreign trade | entreprise de commerce extérieur | impresa commercio estero | empresa dedicada al comercio exterior |
| Außenstände *pl* | outstanding accounts | créances | crediti | cuentas pendientes, cobros pendientes, créditos a cobrar |
| Außenverpackung *f* | external packaging | emballage extérieur | imballaggio esterno | embalaje exterior |
| Außenwirtschaft *f* | foreign trade | l'économie extérieure | commercio estero | comercio exterior |
| außergewöhnliches Ereignis | extraordinary occurrence | évènement extraordinaire | evento eccezionale | evento extraordinario |
| äußerster Preis | lowest price, rock-bottom price | prix limite | ultimo prezzo | precio último, precio más bajo, precio más justo |

| Deutsch | Englisch | Französisch | Italienisch | Spanisch |
|---|---|---|---|---|
| Auto-CD-Spieler *m*, - | car CD player | lecteur de CD pour voiture | CD-player per auto | aparato para CD en el coche |
| automatischer Webstuhl | automatic lathe | métier à tisser automatique | telaio automatico | telar automático |
| automatisieren | automate | automatiser | automatizzare | automatizar |

## B

| Deutsch | Englisch | Französisch | Italienisch | Spanisch |
|---|---|---|---|---|
| Backwaren *pl* | baked products | produits boulangers | prodotti di panetteria e pasticceria | productos de panadería |
| Bahnfracht *f* | railway carriage, r. charges | transport par chemin de fer, port à payer pour un tel transport | nolo ferroviario | transporte por ferrocaril, transporte ferroviario |
| Ballen *m*, - | bale | ballot | pezza | bala, bulto, fardo |
| Bank *f*, -en | bank | banque | banca | banco |
| ~akzept *n*, -e | banker's acceptance | acceptation bancaire | accettazione bancaria | aceptación bancaria |
| ~überweisung *f*, -en | bank remittance | virement bancaire | rimessa bancaria | transferencia bancaria, giro bancario |
| ~verbindung *f*,–en | bank (where an account is kept) | relation bancaire, références bancaires | banca (presso la quale si tiene un conto) | banco (en el que se tiene una cuenta) |
| Baureihe *f*, -n | series | série | serie | serie |
| Bausteinverarbeitung *f* | (text) module system | traitement de texte par modules | elaborazione schemi *(di testo)* | sistema modular, sistema por módulos |
| beantragen | apply (for sth) | faire une demande, une sollicitation | fare domanda, richiedere | solicitar, pedir |
| bearbeiten *(Werkstück)* | to machine | usiner | lavorare | trabajar, labrar |
| bearbeiten, einen Markt ~ | work a market, develop sales | exploiter un marché, développer les activités sur un marché | operare su un mercato | trabajar un mercado, desarrollar las ventas |
| Bearbeitungszentrum *n*, -zentren | machining centre | centre d'usinage | centro di lavorazione | centro de mecanizado |
| Bedarf decken | cover requirements | couvrir les besoins, s'approvisionner | coprire il fabbisogno | cubrir la demanda, satisfacer las necesidades |
| Bedarf haben (an) | need, require | avoir besoin de | necessitare, avere bisogno di qc. | necesitar, requerir |
| Bedenken, ohne ~ | without hesitation | sans réserve, sans hésitation | senza esitazioni | sin reparo, sin objeción, sin reserva |
| Bedienungsanweisung *f*, -en | instruction manual, operator's manual | mode d'utilisation | istruzioni per l'uso | instrucciones para el servicio |
| Bedienungsfehler *m*, - | operator error | erreur de commande | errore d'esercizio, errore d'uso | manejo erróneo; fallo en el manejo |
| Beförderung *f* | conveyance, transport | transport, acheminement | trasporto | transporte, acarreo |
| ~sart *f*, -en | mode of transport | mode de transport | tipo di trasporto | modo de transporte |

| Deutsch | English | Français | Italiano | Español |
|---|---|---|---|---|
| | time | | | para un determinado período |
| Beglaubigung *f (einer Urkunde)* | certification; legalization | legalisation, certification | autenticazione | legalización |
| begleichen, eine Rechnung ~ | pay an invoice, settle an invoice | payer, régler une facture | saldare una fattura | pagar una factura, liquidar una factura |
| Begleitpapier *n*, -e | document accompanying the goods | papiers d'accompagnement | documento d'accompagnamento | documentación (que acompaña a la mercancía) |
| Begünstigte *m*, -n *(Akkr.)* | beneficiary | bénéficiaire | beneficiario | beneficiario |
| Behandlungsvermerk *m*, -e | instruction for the addressee | remarque pour la répartition du courrier | indicazione per il destinatario | instrucción para el destinatario |
| beilegen, Streitigkeiten ~ | settle disputes | régler un différend | comporre una vertenza | allanar dificultades, zanjar dificultades |
| beiliegend | enclosed | ci-joint | allegato | adjunto |
| Bekleidungsunternehmen *n*, - | clothing manufacturer | entreprise de confection | impresa di abbigliamento | fábrica de confección |
| belasten *(Buchf.)* | to debit | débiter | addebitare | cargar en cuenta, debitar |
| beliefern | supply | livrer, fournir | fornire, rifornire | suministrar, surtir, proveer |
| Beraubung *f* | pilferage | vol | rapina, furto | robo, expoliación |
| berechnen | to charge | facturer | calcolare, addebitare | poner en cuenta, cargar en cuenta |
| berechtigte Beschwerde | justified complaint | reclamation justifiée | reclamo giustificato | reclamación justificada, queja justificada |
| Bericht *m*, -e | report | rapport | rapporto, relazione | informe |
| berichtigen | correct, adjust | corriger, rectifier, ajuster | correggere, rettificare | corregir, ajustar |
| beschädigen | to damage | endommager, détériorer | danneggiare | dañar, deteriorar |
| Beschädigung *f*, -en | damage | dommage, avarie | danno, danneggiamento | daños, deterioro |
| Beschaffenheit *f* | condition, state | état, qualité, condition | caratteristica, natura | naturaleza, estado, condición, calidad |
| beschäftigen | occupy; employ | employer, occuper | occupare | emplear, dar trabajo, tener una plantilla de |
| Beschäftigungslage *f (eines Unternehmens)* | capacity utilization | utilisation des capacités | capacitá utilizzata | utilización de la capacidad, capacidad utilizada |
| beschränkte Haftung | limited liability | responsabilité limitée | responsabilità limitata | responsabilidad limitada |
| Beschwerde *f*, -n | complaint | plainte, réclamation | reclamo, protesta | reclamación, queja |
| bestätigen | confirm; acknowledge | confirmer | confermare | confirmar; acusar recibo |
| Besteller *m*, - | customer, buyer | acheteur, client | cliente, acquirente | comitente, ordenante, cliente, comprador |
| Bestellschein *m*, -e | order form | bon de commande | bollettino d'ordinazione | nota de pedido, hoja de pedido, boletín de pedido |
| Bestellung *f*, -en | order | commande | ordinazione | encargo, pedido, orden |
| bestimmen, nach dem Kalender ~ | determine with reference to the calendar | fixer une date précise | determinare in base al calendario | determinar con el calendario como referencia |

| Deutsch | Englisch | Französisch | Italienisch | Spanisch |
|---|---|---|---|---|
| Bestimmungshafen *m*, ¨- | port of destination | port de destination | porto di destinazione | puerto de destino |
| Betreff *n* | subject | objet | oggetto | asunto, objeto |
| Betreffzeile *f* | subject line | emplacement réservé à l'objet | riga dell'oggetto | línea para poner el asunto |
| bevollmächtigt | authorized | fondé de pouvoir, mandataire | autorizzato | autorizado |
| Beweismittel *n*, - | (written) proof | preuve (écrite) | prova, mezzo probatorio | (medio de) prueba |
| bewerben, sich ~ um | apply for | poser sa candidature, postuler | presentarsi per, fare domanda di | presentarse a; presentarse como, solicitar u. c. |
| beziehen *(Waren)* | buy, purchase | acheter | acquistare | comprar, adquirir |
| Bezogene *m*, -n | drawee | tiré | trattario | librado |
| Bezugszeichen *n*, - | reference | références | riferimento | referencia |
| Bildschirm *m*, -e | monitor, screen | écran | schermo video | pantalla, monitor |
| Binnenschiffstransport *m* | inland waterway transport | transports fluviaux | trasporto per navigazione interna | transporte por aguas interiores |
| bituminiertes Papier | bituminized paper | papier bituminé | carta bitumata | papel bituminoso |
| Bläschen *n*, - | small bubble | bouillon, petite bulle d'air | bollicina | burbujita |
| BLZ = Bankleitzahl | bank code number | code bancaire | codice bancario | clave bancaria; número de agencia bancaria; número de identificación bancaria |
| Bodenfräse *f*, -en | cultivator | motoculteur | zappatrice rotante, fresa | fresa labradora, arado fresador |
| Bordkonnossement *n*, -e | on board bill of lading | connaissement reçu à bord | polizza di carico "a bordo" | conocimiento de embarque (a bordo) |
| Branche *f*, -n | line (of business), industry sector | branche, secteur | settore, ramo | ramo, sector |
| Brauerei- und Mälzereigeräte | brewery and malting-plant equipment | appareils pour brasserie et malterie | attrezzature per fabbriche di birra e per malterie | equipos de cervecería y maltería |
| Brennerei *f*, -en | distillery | distillerie | distilleria | destilería |
| Brennofen *m*, ¨- | kiln | four céramique | forno di cottura | horno de calcinación |
| Briefbaustein *m*, -e | text module | module *(pour le traitement de texte)* | schema *(di testo)* per lettere | texto en módulos; módulo de texto almacenado |
| Briefblatt *n*, ¨-er | letter sheet | feuille de papier à lettres | foglio da lettera | hoja de (la) carta |
| Briefkopf *m*, ¨-e | heading, letterhead | l'en-tête | intestazione della lettera | membrete |
| Briefteil *m*, -e | text module, stored paragraph | partie d'une lettre | parte di una lettera | párrafo almacenado |
| Bruttogewicht *n* | gross weight | poids brut | peso lordo | peso bruto |
| Bruttopreis *m*, -e | gross price | prix brut | prezzo lordo | precio bruto |
| Buchhaltung *f* | bookkeeping; accounts department, bookkeeping department | comptabilité | contabilità, ragioneria | (servicio de) contabilidad; departamento de contabilidad; teneduría de libros |

| | | | | |
|---|---|---|---|---|
| | bookkeeping department | | | bilidad |
| Buchmesse *f*, -n | book fair | salon du livre, foire du livre | fiera del libro | feria del libro |
| Buchungsbeleg *m*, -e | (bookkeeping) voucher | pièce comptable | documento contabile | documento contable; justificante, comprobante |
| Buchungstext *m* | particulars (of a bookkeeping entry) | texte d'enregistrement | causale | detalles (de un asiento contable) |
| Büroklammer *f*, -n | paper clip | trombone | fermaglio | sujetapapeles, clip |

## C

| | | | | |
|---|---|---|---|---|
| CIF–Spesen *pl* | CIF charges | taux CAF (coût-assurance-frais) | spese cif | gastos CIF |
| CNC Fräs- und Bohrmaschine *f*, -en | CNC (computer numerically controlled) milling and boring machine | fraiseuse-perceuse à commande numérique | fresatrice e trapanatrice a controllo numerico computerizzato | fresadora y taladradora de control numérico por ordenador |
| Comm. = Commission *f*, -en | order | ordre | ordine, commissione | orden |
| Container *m*, - | container | conteneur | container, contenitore | contenedor, container |

## D

| | | | | |
|---|---|---|---|---|
| Damenkostüm *n*, -e | lady's suit | tailleur | tailleur per signora | traje de chaqueta, traje de señora |
| Damenoberbekleidung *f* | ladies' outerwear | confection dames | abbigliamento per signora | prendas exteriores de señora |
| Deb.Nota = Debetnota *f* | debit note | note de débit | nota di addebito | nota de cargo |
| decken, Versicherung ~ | effect insurance, provide insurance | couvrir une assurance, prendre une assurance à sa charge | provvedere alla copertura assicurativa | provisionar seguro |
| Delkredere *n* | del credere | ducroire | star del credere | delcrédere |
| Diebstahlsicherung *f*, -en | theft-protection device | dispositif anti-vol | dispositivo antifurto | (aparato de) protección contra robo |
| Diktat *n* | dictation | dictée | dettato | dictado |
| ~zeichen *pl* | reference initials | initiales de références | sigla di riferimento | iniciales de referencia; iniciales del que dicta y de la mecanógrafa |
| diktieren | dictate | dicter | dettare | dictar |
| Diktiergerät *n*, -e | dictating machine | dictaphone | dittafono | dictafón, dictáfono |
| Direktwerbung *f* | direct advertising | publicité directe | pubblicità diretta | publicidad directa |
| Diskette *f*, -n | diskette, floppy disk | disquette | dischetto, floppy disk | disquete; disco flexible; disco blando |
| Diskontierung *f* | discounting | escompte des effets de commerce | sconto, operazione di sconto | descuento |
| Diskontkredit *m*, -e | discount credit | crédit à l'escompte | credito di sconto | crédito de descuento |
| Diskontspesen *pl* | discount charges | frais d'escompte | spese di sconto | gastos de descuento |

| Deutsch | Englisch | Französisch | Italienisch | Spanisch |
|---|---|---|---|---|
| Dokumente gegen Akzept | documents against acceptance | documents contre acceptation | documenti contro accettazione | (orden de entrega de) documentos contra aceptación; |
| Dokumentenakkreditiv *n*, -e | documentary (letter of) credit | accréditif, lettre de crédit | (lettera di) credito documentario | crédito documentario; carta de crédito documentaria |
| Dose *f*, -n | tin, can | boîte (conserve) | barattolo, scatola, lattina | caja, bote, lata |
| Drittland *n*, ¨-er *(Land, das nicht EG-Mitglied ist)* | third country | pays tiers *(n'appartenant pas à la C.E. mais soumis aux tarifs douaniers extérieurs communs)* | paese terzo | país tercero; país no comunitario; tercer país |
| Drittlandswaren *pl* | third country goods | produits provenant de pays tiers | merci provenienti da paesi terzi | mercancías de terceros países; bienes de países no comunitarios |
| drucken | to print | imprimer | stampare | imprimir |
| Drucker *m*, - | printer | imprimante | stampante | impresora |
| Drucksachenwerbung *f* | direct-mail advertising | publipostage | pubblicità attraverso stampati | publicidad directa por correo |
| Durchschlag *m*, ¨-e | carbon copy | double, copie | copia | copia |

## E

| Deutsch | Englisch | Französisch | Italienisch | Spanisch |
|---|---|---|---|---|
| editieren | edit | éditer, préparer, travailler un texte | editare, impaginare | revisar; depurar el original |
| EDV (= elektronische Datenverarbeitung) *f* | EDP (= electronic data processing) | informatique, traitement électronique de données | EED (= elaborazione elettronica dati) | proceso electrónico de datos; procesamiento electrónico de datos; tratamiento electrónico de datos |
| EG *s.* Europäische Gemeinschaft | | | | |
| Eiche *f (Holzart)* | oak | chêne | quercia | roble |
| Eigentumsvorbehalt *m* | reservation of title | réserve quant à la propriété | diritto di riservato dominio, riserva di proprietà | reserva de dominio, reserva de propiedad |
| eilt | urgent | urgent | urgente | urgente |
| Eilzustellung *f* | express delivery | par express | recapito espresso | entrega urgente, entrega por expreso |
| einführen | introduce; import | importer | introdurre; importare | importar; introducir |
| Einfuhrland *n*, ¨-er | importing country | pays importateur | paese importatore | país importador |
| Einfuhrlizenz *f*, -en | import licence | licence d'importation | licenza all'importatore | licencia de importación |
| Einfuhrumsatzsteuer *f* | import turnover tax | la taxe sur le chiffre d'affaires à importation | tassa di scambio sulle merci importate | impuesto sobre el volumen de importaciones |
| Einführungsrabatt *m*, -e | launch discount | remise de lancement | ribasso promozionale | rebaja de lanzamiento; rebaja de promoción |

| Deutsch | English | Français | Italiano | Español |
|---|---|---|---|---|
| | allowed | | termine | permitido |
| Termin ~ | keep to the appointed date, keep the deadline | respecter un délai | osservare il termine | atenerse al plazo; observar el plazo de vencimiento |
| Einheitspapier *n* | Single Administrative Document | papiers ou formulaires standards | documento unitario | documento administrativo unitario; documento administrativo único |
| Einkaufszentrum *n*, -zentren | shopping centre | centre commercial | centro acquisti | centro comercial, galería comercial |
| Einlage *s.* Kapitaleinlage | | | | |
| einleiten, gerichtliche Schritte ~ | take legal steps | entreprendre des démarches judiciaires | promuovere un'azione giudiziaria | iniciar medidas legales; tramitar medidas jurídicas |
| einlösen | to pay, to honour; to cash | payer, encaisser, honorer une traite | onorare, pagare | pagar, abonar; cobrar |
| Einlösung *f* | payment; encashment | paiement, encaissement | estinzione, pagamento | pago, abono; cobro |
| einräumen, einen Kredit ~ | grant a credit | accorder un crédit | concedere un credito | otorgar un crédito |
| Einrichtungshaus *n*, | home furnishing store | maison d'ameublement | salone d'arredamento | tienda de muebles |
| einschließlich Verpackung | including packing | emballage inclus | imballaggio incluso | franco de embalaje, incluido el embalaje, embalaje incluido |
| Einschneidefräser-Schleifmaschine *f*, -n | grinding machine for single-lip cutters | rectifieuse pour fraise à un tranchant | rettificatrice per fresa ad un tagliente | lama-rectificadora |
| Einschreibebrief *m*, -e | registered letter | lettre recommandée | lettera raccomandata | carta certificada |
| einsetzen, sich nach Kräften für den Verkauf ~ | use one's best efforts to push sales | faire tout son possible pour promouvoir la vente | far di tutto per promuovere le vendite | emplearse a fondo para fomentar las ventas |
| Einspruch einlegen | to lodge an objection | faire opposition, protester contre | fare ricorso | formular una objecíon; presentar un reparo; elevar protesta |
| Eintragung *f*, -en | entry, registration | enregistrement | iscrizione | inscripción, registro |
| Einzelauskunft *f*, ¨-e | special report | renseignement individuel | informazione individuale | informe especial, informe individual, informe particular |
| Einzelkaufmann *m*, -kaufleute | sole trader, sole proprietor | commerçant en nom personnel | commerciante in proprio | comerciante individual, comerciante particular, comerciante en nombre personal |
| Einzelplatzsystem *n*, -e | stand-alone system | système individuel | sistema monoposto | sistema de puesto único, sistema monoplaza |
| Einzelpolice *f*, -n | voyage policy | police individuelle | polizza individuale | póliza de viaje |
| Einzelpreis *m*, -e | unit price | prix unitaire | prezzo unitario | precio por unidad |
| Einzelvollmacht *f* | *Handlungsvollmacht* authorizing holder to carry out a single transaction | procuration ou plein pouvoir portant sur une action définie | mandato commerciale speziale (che autorizza il mandatario a compiere un' operazione specifica) | poder especial (que autoriza a su titular a realizar una operación especial) |
| einziehen | collect | recouvrer | riscuotere | cobrar |

| Deutsch | Englisch | Französisch | Italienisch | Spanisch |
|---|---|---|---|---|
| Einzug von Außenständen | collection of outstanding accounts | recouvrement des créances | incasso di crediti | cobro de cuentas pendientes |
| Eisenbahntransport *m* | transport by rail | transports par voie ferrée | trasporto per ferrovia | transporte por ferrocarril |
| Elektroantrieb *m*, -e | electric drive | commande électrique | trazione elettrica | accionamiento eléctrico |
| elektronische Ausrüstung | electronic controls | équipement électronique | attrezzatura elettronica | equipo electrónico; controles electrónicos |
| Empfänger *m*, - | recipient; addressee; consignee | destinataire, réceptionnaire | destinatario | destinatario; perceptor; consignatario |
| Empfangsanzeige *f*, -n | arrival notice | avis de réception | avviso di ricevimento, avviso di ricevuta | aviso de llegada |
| Empfangsbestätigung *f*, -en | acknowledgement of receipt | accusé de réception | conferma di ricevimento, conferma di ricevuta | acuse de recibo |
| Empfangskonnossement *n*, -e | received for shipment bill of lading | connaissement “reçu pour embarquement” | polizza ricevuta per imbarco | conocimiento de embarque recibido |
| Endverbraucher *m*, - | ultimate consumer | consommateur (final) | consumatore (finale) | consumidor final |
| Endverkaufspreis *m*, -e | ultimate selling price | prix de vente final | prezzo di vendita finale | precio a pagar por el consumidor final |
| entgegenkommen | meet halfway, accommodate | pour arranger qn | venire incontro | mostrarse complaciente; hacer concesiones |
| entgeltlich | against payment | contre rémunération | contro corrispettivo | mediante pago, contra pago, a título oneroso |
| Entladung *f* | unloading, discharge | déchargement | scaricamento | descarga |
| erfüllen, Verbindlichkeiten ~ | meet obligations | respecter, remplir ses engagements | adempiere le obbligazioni | cumplir obligaciones |
| Erfüllungsort *m*, -e | place of fulfilment, place of performance | lieu d’éxécution | luogo di esecuzione | lugar de cumplimiento; lugar de ejecución |
| Ergänzung, zur ~ des Sortiments | to round off the merchandise range | pour compléter l’assortiment | per completare l’assortimento | para redondear el surtido, para completar la oferta |
| Erledigung einer Bestellung | execution of an order | l’éxécution d’une commande | esecuzione di un ordine | ejecución de una orden |
| Erlöschen der Prokura | termination of *Prokura* | expiration de la procuration ou des pleins pouvoirs attribués | estinzione della procura | cesación del poder |
| ermäßigen, den Preis ~ | reduce the price | réduire le prix | ridurre il prezzo | reducir el precio |
| eröffnende Bank *(Akkr.)* | opening bank | banque émettrice | banca che apre il credito | banco que abre un crédito documentario |
| Eröffnung eines Akkreditivs | opening of a (letter of) credit | ouvrir un accréditif | apertura di un credito | apertura de un crédito documentario |
| Eröffnungsanzeige *f (Akkr.)* | advice of credit opened | avis d’ouverture d’un accréditif | avviso d’apertura di credito | aviso de apertura |
| Ersatz *s.* Ersatzlieferung | | | | |
| Ersatzlieferung *f*, -en | replacement | livraison de remplacement | fornitura di sostituzione (della | reposición, sustitución, |

| | | | | |
|---|---|---|---|---|
| | | | | repuesto |
| erschließen, einen Markt ~ | open up a market, develop a market | développer, exploiter un marché | aprire un mercato | abrir un mercado, desarrollar un mercado |
| ersetzen, jdm einen Schaden ~ | compensate sb for a loss | dédommager qn | risarcire un danno a qd. | indemnizar un daño a alg.; resarcir de un daño a alg. |
| Erstauftrag *m*, ¨-e | first order | première commande | primo ordine | primer pedido, primera orden, primer encargo |
| erstellen, eine Mitteilung ~ | prepare a message | rédiger un message ou une information | stilare una comunicazione | redactar un mensaje; preparar un mensaje |
| Erstellung einer Mitteilung | preparation of a message | rédaction d'un message ou d'une information | stesura di una comunicazione | redacción de un mensaje, preparación de un mensaje |
| erteilen, Auftrag ~ | place an order; instruct | passer une commande | conferire un ordine; dare un ordine | pasar un pedido, hacer un pedido |
| Erteilung der Prokura | granting of *Prokura* | donner procuration ou pleins pouvoirs à qn | conferimento di procura | otorgamiento de poder |
| erweitern | expand | agrandir | ingrandire, ampliare | ampliar; expandir |
| erwerben | acquire | acquérir | acquistare | adquirir |
| Erzeugnis *n*, -se | product | produit, fabrication | prodotto | producto |
| Europäische Gemeinschaft *f* | European Community | Communauté Européenne | Comunità Europea | Comunidad Europea |
| europäischer Binnenmarkt *m* | single European market | le marché intérieur européen | mercato interno europeo | mercado interior europeo |
| Express, per ~ | by express delivery | par express *(courrier)* express *(transport)* | per espresso | por expreso |
| externes gemeinschaftliches Versandverfahren | external Community Transit Procedure | système de transit communautaire externe (C.E.) | transito comunitario esterno | procedimiento de tránsito comunitario externo |

## F

| | | | | |
|---|---|---|---|---|
| Facharbeitermangel *m* | shortage of skilled workers | manque d'ouvriers spécialisés | carenza di operai specializzati | escasez de trabajadores cualificados |
| Fachberater *m*, - | technical adviser | conseiller technique | consulente specializzato | asesor técnico |
| Fachhändler *m*, - | specialist dealer | distributeur ou revendeur spécialisé | commerciante specializzato | comerciante especializado |
| Fachsprache *f*, -n | special terminology | langage spécifique à une matière (jargon) | terminologia specifica | lenguaje técnico; terminología técnica |
| Fachverband *m*, ¨-e | trade association | association professionnelle | associazione di categoria | asociación profesional, agrupación profesional |
| Fachverlag für Sprachen | publishing house specializing in foreign languages | maison d'édition spécialisée dans les langues | casa editrice specializzata nel settore linguistico | editorial especializada en lenguas extranjeras |
| Fachzeitschrift *f*, -en | technical journal | revue spécialisée | rivista specializzata | revista especializada, revista técnica |
| Fahrlässigkeit *f* | negligence | négligence | negligenza | negligencia, imprudencia |
| Faktura *f*, -en | invoice | facture | fattura | factura |

| Deutsch | Englisch | Französisch | Italienisch | Spanisch |
|---|---|---|---|---|
| fällig | due | dû, payable, échu | scaduto, esigibile | debido, pagadero, vencido |
| Fälligkeit *f* | maturity, due date | échéance | scadenza | (fecha de) vencimiento |
| Faltkarton *m*, -s | folding box | carton pliant | cartone pieghevole | caja plegable |
| Faß *n*, Fässer | barrel | fût, barrique | botte, barile | barril |
| Fax-Teilnehmer *m*, - | fax subscriber | abonné au télécopieur | abbonato al telefax | abonado de (tele)fax |
| fehlerhaft | faulty | défectueux | difettoso | defectuoso, en mal estado |
| Fehlgewicht *n* | short weight | poids manquant | ammanco di peso | falta de peso |
| fehlleiten | misroute | erreur d'acheminement | recapitare all' indirizzo sbagliato, sviare | dar curso equivocado; dirigir erradamente |
| Fehlmenge *f*, -en | deficiency in quantity, shortage | quantité manquante | quantità mancante, ammanco di merce | deficiencia en cantidad, merma en cantidad |
| Fensterbriefhülle *f*, -n | window envelope | enveloppe à fenêtre | busta con finestrata | sobre de ventana |
| Fernkopierer *m*, - | telecopier | télécopieur | telecopiatrice | telecopiadora |
| Fernschreiben *n*, - | telex | telexer, envoyer un telex | telex | télex |
| Fernschreiber *m*, - | teleprinter | téléscripteur, téléimprimeur | telescrivente | teletipo |
| Fertigteil *n*, -e | prefabricated part | élément préfabriqué | pezzo prefabbricato | pieza prefabricada, pieza terminada |
| Fertigungsprogramm *n*, -e | product range | programme de fabrication | gamma dei prodotti | programa de fabricación; gama de productos |
| Festplatte *f*, -n | hard disk | disque dur | disco fisso | disco duro |
| Feuerlöscher *m*, - | fire extinguisher | extincteur | estintore | extintor de incendios |
| Filiale *f*, -n | branch (office) | filiale, succursale | filiale | filial |
| Firma *f*, -en | firm, (business) enterprise; firm name, corporate name | firme, établissement; raison sociale | impresa; ditta | empresa; firma, razón social |
| Firmennachweis *m* | providing names and addresses of potential business partners | relevé/liste de clients/ fournisseurs/partenaires potentiels | elenco delle imprese | informe de nombres y direcciones de clientes potenciales |
| Firmenzeichen *n*, - | logo | logo, emblème | logotipo | logotipo |
| flüssige Mittel | liquid funds | capitaux disponibles, trésorerie | mezzi liquidi | fondos disponibles, medios líquidos |
| Folgeseite *f*, -n | continuation sheet | page suivante | pagina seguente | hoja que va a continuación; página que sigue |
| Folie *f*, -n | (plastic) film, foil | feuille *(d'aluminium, ou de plastique etc.)* | foglia, film, lamina | lámina; hoja; película |
| Förderanlage *f*, -en | materials handling system | installation de transports ou de production | impianto per il trasporto di materiale | instalación de transporte de material |
| Forschung und Entwicklung | research and development | recherche et développement | ricerca e sviluppo | investigación y desarrollo |
| Frachtbrief *m*, -e | consignment note, waybill | lettre de voiture | lettera di vettura | carta de porte, talón de ferrocarril |
| Frachtführer *m*, - | carrier | transporteur, voiturier | vettore | porteador transportista |

| | | | confine | |
|---|---|---|---|---|
| freibleibend *(Angebot)* | without engagement, subject to confirmation | sans engagement | senza impegno | (oferta) sin compromiso |
| freier Verkehr | free circulation | marché libre | libera circolazione | libre circulación |
| fristgemäß | within the period agreed upon | dans les délais fixés | entro il termine stabilito | dentro del plazo fijado |
| Frühbezugsrabatt *m*, -e | early order discount | remise pour commande précoce | ribasso per ordini immediati | descuento por orden anticipada |
| fundiert, gut ~ | well-founded, solidly based | bien établie, solide | solido, di solida struttura | bien fundamentado, de base sólida |

## G

| | | | | |
|---|---|---|---|---|
| gängig | in frequent demand | courant, usité | richiesto, di facile smercio | corriente; de fácil salida |
| Garantie *f*, -n | guarantee, warranty | garantie | garanzia | garantía |
| unter die ~ fallen | be covered by the guarantee | être couvert par la garantie | coperto da garanzia, in garanzia | estar bajo la garantía |
| ~bedingungen *pl* | terms of the guarantee | conditions de garantie | condizioni di garanzia | condiciones de la garantía |
| ~klausel *f*, -n | guarantee clause, warranty clause | clause de garantie | clausola di garanzia | cláusula de garantía |
| ~zeit *f* | guarantee period | durée de garantie | periodo di garanzia, durata della garanzia | periodo que cubre la garantía |
| Garnitur *f*, -en | set | garniture, jeu, assortiment | gruppo, set | juego |
| Gaskesselwagen *m*, - | gas tank car | wagon-citerne pour le gaz | vagone cisterna gas | coche cisterna de gas |
| gebohrte Perle | pierced pearl | perle percée | perla perforata | perla perforada |
| Gefahrenübergang *m* | passing of the risk, transfer of the risk | transfert de risque | trapasso del rischio | transferencia del riesgo, transmision del riesgo |
| Gegenangebot *n*, -e | counter-offer | contre-offre, contre-proposition | controfferta | contraoferta |
| gegenseitige Lizenzvergabe | cross-licensing | octroi réciproque de licences | concessione di licenza reciproca | concesión mutua de licencias |
| gegenstandslos, als ~ betrachten | disregard | considérer comme sans raison d'être, ne pas tenir compte de qc | da considerarsi nullo | considerar caduco; considerar sin objeto |
| gemeinschaftliches Versandverfahren | Community Transit Procedure | système de transit communautaire (C.E.) | transito comunitario | procedimiento de tránsito comunitario |
| Gemeinschaftsgründung *f*, -en | joint venture | création d'une entreprise commune | costituzione in compartecipazione | fundación de empresas en colaboración |
| Gemeinschaftswaren *pl* | Community goods | biens de la communauté | merce comunitaria | bienes comunitarios |
| Gemüsekonserven *pl* | tinned vegetables, canned vegetables. | conserves de légumes | conserve di verdura | conservas vegetales |
| Generalpolice *f*, -n | open policy | police générale | polizza d'abbonamento | póliza sin valor declarado, póliza no valorada |

| Deutsch | Englisch | Französisch | Italienisch | Spanisch |
|---|---|---|---|---|
| Generalvollmacht *f* | *Handlungsvollmacht* authorizing holder to carry out all transactions normally arising in a particular business | pleins pouvoirs | mandato commerciale generale (che autorizza il mandatario a compiere tutte le operazioni inerenti l'attività aziendale) | poder general (que autoriza al titular a llevar a cabo todas las operaciones inherentes a un ramo particular) |
| geräucherte Eiche | fumed oak | chêne fumé | quercia affumicata | roble ahumado |
| Gericht, ordentliches ~ | court of law | tribunal judiciaire | tribunale ordinario | tribunal ordinario |
| gerichtliches Mahnverfahren | summary proceedings for the recovery of debts | mise en demeure par voie judiciaire | procedimento d'ingiunzione | procedimiento monitorio |
| Gerichtsstand *m*, ⸗e | venue *(place of the court which is to have jurisdiction)* | juridiction, compétence | foro competente | tribunal competente, jurisdicción competente; fuero |
| Gerichtsverfahren *n*, - | legal proceedings, legal action | procédure judiciaire | procedimento giudiziario | procedimiento judicial; proceso, pleito |
| Gesamtpreis *m*, -e | total price | prix total | prezzo totale | precio total |
| Geschäftsabschluß *m*, -abschlüsse | sale effected, order booked | conclusion d'une affaire, d'un marché | conclusione d'affari | conclusión de un negocio; negocios concluidos |
| Geschäftsart *f*, -en | type of business | genre d'activités | tipo d'affari | tipo de negocio |
| Geschäftsbetrieb, in kaufmännischer Weise eingerichteter ~ | business requiring a commercial organization | exploitation commerciale dûment équipée | attività che richiede un'organizzazione commerciale | negocio que requiere organización comercial |
| Geschäftsbeziehungen *pl* | business relations | relations commerciales | relazioni d'affari | relaciones comerciales, relaciones de negocio |
| Geschäftsführer *m*, - | manager | directeur | amministratore | gerente |
| Geschäftsführung *f* | management | direction | amministrazione, gestione aziendale | gerencia |
| Geschäftspartner *m*, - | business partner | partenaire commercial | partner d'affari, contraente, socio | socio comercial, partenaire comercial |
| Geschäftssitz *m* | legal domicile, registered office, principal place of business | siège social | sede commerciale, sede legale | sede; domicilio (social) |
| Geschäftsverbindung *f*, -en | business connection | relations d'affaires | rapporto d'affari | relaciones comerciales, relaciones de negocio |
| Gesellschaft mit beschränkter Haftung | a form of incorporated enterprise in Germany *(similar to the British private limited company or the American close corporation)* | société à responsabilités limitées (S.A.R.L.) | società a responsabilità limitata | sociedad (de responsabilidad) limitada |
| Gesellschaft mit eigener Rechtspersönlichkeit | incorporated enterprise | société anonyme | società con personalità giuridica | sociedad con personalidad jurídica propia |

| | | | | |
|---|---|---|---|---|
| Gesellschaftsvermögen *n* | partnership assets, company assets | actif social, patrimoine de la société | patrimonio sociale | patrimonio social |
| gesetzlicher Vertreter | statutory agent | représentant légal | rappresentante legale | representante legal |
| gesicherter Kredit | secured loan | crédit assuré | credito garantito | préstamo con garantía, préstamo garantizado |
| Gewährleistungsanspruch *m*, ⸚e | warranty claim | droit de prestation de garantie | diritto a garanzia | derecho a saneamiento; derecho a garantía |
| Gewährleistungsfrist *f*, -en | warranty period | durée de garantie | periodo di garanzia | período de garantía |
| Gewichtsnota *f*, -s | weight note | spécification des poids | nota di peso | nota de peso |
| gewinnen (Waren) | to produce | produire | produrre | producir (mercancías) |
| Glaswaren *pl* | glassware | verrerie | vetrerie | cristalería |
| Gläubiger *m*, - | creditor | créancier | creditore | acreedor |
| GmbH *s.* Gesellschaft mit beschränkter Haftung | | | | |
| Gravier- und Kopierfräsmaschine *f*, -n | engraving and copy milling machine | graveuse-fraiseuse par copiage | macchina per incisioni e fresatrice a riproduzione | fresa buril y fresadora copiadora |
| grenzüberschreitender Warenverkehr | cross-border merchandise trade | échanges internationals de marchandises | commercio con l'estero | comercio transfronterizo, intercambio de mercancías transfronterizo |
| Großhandelsunternehmen *n*, - | wholesale firm | entreprises de commerce en gros | impresa commerciale all'ingrosso | empresa de venta al por mayor |
| Gründer *m*, - | founder | fondateur | fondatore, socio fondatore | fundador |
| Grundkapital *n* | nominal capital *(of AG)* | capital social (S.A.) | capitale sociale *(di una AG)* | capital social *(de una AG)* |
| Gunsten, zu unseren ~ | in our favour | en notre faveur | a nostro favore | a nuestro favor |
| Güte *f* | quality | qualité | qualità | calidad |
| Güterversicherung *f (Seevers.)* | cargo insurance | assurance sur les marchandises | assicurazione delle merci trasportate | seguro de carga, seguro de mercancías |
| gütlich, auf ~ em Weg | amicably, out of court | à l'amiable | in via amichevole | amigablemente, amistosamente, por vía amistosa |
| gutschreiben | to credit | créditer | accreditare | abonar en cuenta; llevar al haber |
| Gutschrift *f*, -en | credit; credit note, credit memo | avoir | accredito | abono en cuenta |

## H

| | | | | |
|---|---|---|---|---|
| haften | be liable | répondre de, être personnellement responsable des dettes | rispondere | responder, ser responsable, salir responsable |
| Haftung *f* | liability | responsabilité | responsabilità | responsalilidad |
| Handelsförderungstelle *f*, -n | trade promotion agency | bureau de promotion du commerce extérieur | agenzia di promozione commerciale | agencia de promoción comercial |

| Deutsch | Englisch | Französisch | Italienisch | Spanisch |
|---|---|---|---|---|
| Handelsgesellschaft *f*, -en | business enterprise | société commerciale | società commerciale | sociedad mercantil |
| Handelsgesetzbuch *n* | (German) Commercial Code | code du commerce | codice commerciale | código *(alemán)* de comercio |
| Handelsgewerbe *n*, - | trade, business | commerce, activités commerciales | attività commerciale | comercio; negocio; actividad comercial |
| Handelskammer *f*, -n | chamber of commerce | chambre de commerce | camera di commercio | cámara de comercio |
| Handelsrabatt *m*, -e | trade discount | remise commerciale | ribasso commerciale | descuento comercial |
| Handelsrechnung *f*, -en | commercial invoice | facture commerciale | fattura commerciale | factura comercial |
| Handelsrecht *n* | commercial law | droit commercial | diritto commerciale | derecho mercantil |
| Handelsregister *n*, - | commercial register | registre du commerce | registro delle imprese | registro mercantil |
| Handelsverkehr *m* | commerce, commercial practice | échanges commerciaux | commercio | comercio |
| Handelsvertreter *m*, - | commission agent | représentant de commerce | rappresentante commerciale, agente di commercio | agente comercial |
| Händler *m*, - | dealer, trader, distributor | négociant, commerçant | commerciante, operatore di commercio | comerciante, distribuidor |
| ~rabatt *m*, -e | trade discount | ristourne accordée à un commerçant | ribasso al commerciante | rebaja concedida a los comerciantes |
| ~vertrag *m*, ¨-e | dealership agreement | contrat conclus avec un négociant | contratto commerciale | contrato de comercio |
| Handlungsvollmacht *f* | authority to act on behalf of principal (narrower in scope than *Prokura*) | pleins pouvoirs | mandato commerciale (più ristretto della *Prokura*) | poder especial mercantil (mas restringido que el *Prokura*) |
| Handwerk *n* | crafts and trades | artisanat | artigianato | artesanía; oficio |
| Harmonisierung *f* | harmonization | harmonisation | armonizzazione | armonización |
| Härten *n* | hardening | tramper | tempra | endurecer, templar |
| Hauptniederlassung *f*, -en | head office | entreprise principale | sede principale | establecimiento principal |
| Hauptversammlung *f*, -en | shareholders' meeting | assemblée générale | assemblea generale | junta general |
| Hauptwerk *n*, -e | main factory | usine principale | stabilimento principale | factoría principal |
| Haus, von ~ zu ~ *(Vers.)* | from warehouse to warehouse | assurance de porte à porte | di porta in porta | puerta a puerta |
| Haushaltsgerät *n*, -e | electrical appliance | appareil ménager | utensile casalingo | electrodoméstico |
| Heftklammer *f*, -n | staple | agrafe | punto metallico | grapa, sujetapapeles |
| Hersteller *m*, - | producer, manufacturer | fabricant, producteur | fabbricante, produttore | fabricante, productor |
| Herstellung *f* | production, manufacture | fabrication, production | fabbricazione, produzione | fabricación, producción |
| HGB *s.* Handelsgesetzbuch | | | | |
| hinfällig | no longer valid | caduc, annulé | non più valido, nullo | (ya) sin validez |
| hochwertig | high-grade, first-class | de haute gamme | di alta qualità, pregiato | de alta calidad |
| höhere Gewalt | force majeure | force majeure | forza maggiore | fuerza mayor |
| Holzbearbeitungsmachine *f*, -n | woodworking machine | machine à travailler le bois | macchina per la lavorazione del legno | máquina para trabajar la madera |

| Deutsch | English | Français | Italiano | Español |
|---|---|---|---|---|
| Importlizenz *f*, -n | import licence | licence d'importation | licenza d'importazione | licencia de importación |
| Inbetriebnahme *f (einer Maschine)* | commissioning | mise en service | messa in funzione | puesta en funcionamiento, puesta en marcha |
| Indossament *n*, -e | endorsement | endossement | girata | endoso |
| Industrie– und Handelskammer *f* | chamber of industry and commerce | chambre du commerce et de l'industrie | camera dell'industria e del commercio | cámara de comercio e industria |
| Industrieanlagenbau *m* | industrial plant construction | construction de complexes industriels | costruzione di impianti industriali | construcción de plantas industriales |
| Industrieausstellung *f*, -en | industrial exhibition | foire industrielle | fiera industriale | exposición industrial |
| Inkasso *n*, -i | collection | recouvrement, encaissement | incasso | cobro, cobranza |
| innergemeinschaftlicher Warenverkehr *m* | intra-Community trade | les échanges intercommunautaires | scambi intracomunitari | intercambio comunitario de mercancías |
| Inserat *n*, -e | advertisement | annonce | inserzione | anuncio |
| instandsetzen | to repair, restore to sound operating condition | réparer | rimettere in funzione, riparare | reparar, arreglar, poner en condiciones |
| internes gemeinschaftliches Versandverfahren | internal Community Transit Procedure | système de transit communautaire interne (C.E.) | transito comunitario interno | procedimiento de tránsito comunitario interno |

## J

| Deutsch | English | Français | Italiano | Español |
|---|---|---|---|---|
| juristische Person *f*, -en | juristic person, legal entity | personne juridique | persona giuridica | persona jurídica |

## K

| Deutsch | English | Français | Italiano | Español |
|---|---|---|---|---|
| Kammerbezirk *m*, -e | chamber of commerce district | ressort d'une chambre de commerce | circoscrizione della camera di commercio | distrito de la cámara de comercio |
| Kapitaleinlage *f*, -n | capital contribution | apport de capitaux | conferimento di capitale, quota di capitale | aportación de capital |
| Kapitalgesellschaft *f*, -en | incorporated enterprise | société de capitaux | società di capitali | sociedad (de carácter) capitalista |
| Karton *m*, -s | cardboard box | carton | cartone | caja de embalaje; caja de cartón |
| Kartonagenfabrik *f*, -en | cardboard container factory | fabrique de cartonnage | fabbrica di cartonaggi | fábrica de cartonaje |
| Kaskoversicherung *f (Seevers.)* | hull insurance | assurance sur corps | assicurazione corpi del ramo trasporto | seguro de casco de buque |
| Kasse gegen Dokumente | cash against documents | comptant contre documents | pagamento contro documenti | pago contra documentación; pagadero al contado contra documentos |
| Katalog *m*, -e | catalogue | catalogue | catalogo | catálogo |
| Kauf *m*, ¨-e | purchase | achat | acquisto | compra |
| Käufer *m*, - | buyer, purchaser | acheteur | acquirente | comprador, adquirente, adquisidor |

| Deutsch | Englisch | Französisch | Italienisch | Spanisch |
| --- | --- | --- | --- | --- |
| Kaufinteressent *m*, -en | prospective customer | acheteur potentiel | acquirente potenziale | cliente potencial, cliente futuro |
| Kaufmann *m*, Kaufleute | merchant, trader; person having merchant status under German law | commerçant, négociant | commerciante; persona con status commerciale secondo il diritto tedesco | comerciante, negociante; persona con status mercantil para el derecho alemán |
| kaufmännisch | commercial | commercial | commerciale | comercial; mercantil |
| kaufmännischer Leiter | business manager | directeur commercial | direttore commerciale | director del área comercial |
| Kaufpreis *m*, -e | purchase price | prix de vente | prezzo d'acquisto | precio de compra |
| Kaufvertrag *m*, ⸚e | contract of sale, sales agreement | contrat d'achat, contrat de vente | contratto di compravendita | contrato de compra (a venta) |
| Kelterei *f*, -en | winery | pressoir | cantina di torchiatura | lagar |
| Kennmarke des Empfängers | consignee's mark | référence du destinataire | contrassegno del destinatario | marca del consignatario |
| Keramikwaren *pl* | pottery ware | poterie | ceramiche | (artículos de) cerámica |
| KG *s.* Kommanditgesellschaft | | | | |
| KGaA *s.* Kommanditgesellschaft auf Aktien | | | | |
| Kiste *f*, -n | (wooden) case | caisse | cassa | caja |
| Kistenmarkierung *f* | marking of cases | marquage des caisses | marcatura della cassa | marcación de cajas; marcado de cajas |
| kodifizieren | codify | codifier, attribuer un code | codificare | codificar |
| Kollo *n*, -i | package | coli | collo | bulto, fardo, paquete |
| kombinierter Verkehr | integrated transport | transports combinés | trasporto integrato | transporte integrado |
| Kommanditgesellschaft *f*, -en | a form of unincorporated enterprise in Germany *(corresponds to the limited partnership)* | société en commandite simple | società in accomandita semplice | sociedad en comandita, sociedad comanditaria |
| Kommanditgesellschaft auf Aktien | a form of incorporated enterprise in Germany *(has features of both the KG and the AG)* | société en commandite par actions | società in accomandita per azioni | sociedad en comandita por acciones, sociedad comanditaria por acciones |
| Kommanditist *m*, - | limited partner | commanditaire | socio accomandante | (socio) comanditario |
| Kommissionär *m*, -e | consignee, commission merchant | commissionnaire | commissionario | comisionista |
| Kommissionslager *n*, - *od.* ⸚ | consignment stock | stock de marchandise en commission | deposito, magazzino in conto deposito | depósito de mercancías (en comisión) |
| Kommissionsware *f*, -n | consignment goods | marchandise en commission | merce in conto deposito | mercancías en comisión |
| Kommittent *m*, -en | consignor | mandant, commettant | committente | consignador, comitente; mandatario |

| konkurrenzfähig | competitive | compétitif | competitivo | competitivo |
|---|---|---|---|---|
| Konkurs *m*, -e | bankruptcy | faillite, dépôt de bilan | fallimento | quiebra |
| Konnossement *n*, -e | bill of lading | connaissement | polizza di carico | conocimiento (de embarque) |
| Konsignant *m*, -en | consignor | commettant, consignateur | committente | consignador |
| Konsignatar *m*, -e | consignee | commissionnaire | commissionario | consignatario |
| Konsignationsgeschäft *n*, -e | consignment business, consignment sale | affaires sur consignation | operazioni in conto deposito | venta en consignación, venta en depósito |
| Konsignationslager *n*, - *od.* ¨- | consignment stock | stock de marchandises en consignation | deposito, magazzino in conto deposito | depósito de mercancías en consignación |
| Konsignationsverkauf *m*, ¨-e | sale on a consignment basis | ventes par consignation | vendita in conto deposito | venta en consignación |
| Konsignationsware *f*, -n | consignment goods | marchandise en consignation | merce in conto deposito | mercancías consignadas |
| Konto *n*, -en | account | compte | conto | cuenta |
| ~auszug *m*, ¨-e | statement of account | relevé de compte, extrait de compte | estratto conto | extracto de cuenta |
| ~korrentkredit *m*, -e | overdraft on current account | crédit sur le compte courant | credito in conto corrente | crédito en cuenta corriente |
| kontrahieren | to contract; to order | contracter | contrarre | contratar; ordenar |
| Kooperation *f* | co-operation, collaboration, strategic alliance, joint venture | coopération, collaboration | cooperazione | cooperación, colaboración |
| ~spartner *m*, - | cooperation partner | collaborateur | parti contraenti in una cooperazione | socio de cooperación |
| Kopfbogen *m*, ¨- | letter sheet with printed heading, letterhead | papier à en-tête | carta da lettera intestata | hoja con el membrete |
| Kopiergerät *n*, -e | copying machine | copieur | fotocopiatrice | copiadora |
| Korbmöbel *pl* | wicker furniture | meubles en rotin | mobili di vimini | muebles de mimbre |
| Körperschaft des öffentlichen Rechts | public-law corporation | collectivité de droit public | ente di diritto pubblico | entidad de derecho público, corporación de derecho público |
| Korrespondenzbank *f*, -en | correspondent bank | banque correspondante | banca corrispondente | banco corresponsal |
| Kosten *pl* | costs | coûts, frais, dépenses | costi, spese | costes, costos, gastos |
| kostenlos | free of charge | gratuitement | gratuito, gratuitamente | (a título) gratuito; franco de porte |
| Kostenübernahme *f* | assumption of costs | prise en charge des frais | assunzione delle spese | asunción de los gastos |
| Kraft, in ~ treten | come into effect | entrer en vigueur | entrare in vigore | entrar en vigor |
| kraft | by virtue of | en vertue de | in virtù di, per effetto di | en virtud de |
| Kraftfahrzeugzubehör *n* | motor-car accessories | accessoires automobiles | accessori per autoveicoli | accesorios de automóvil |
| Kraftpapier *m* | kraft paper | papier kraft, papier d'emballage | carta kraft | papel kraft |
| Kräuteressig *m* | herb-flavoured vinegar | vinaigre aux herbes | aceto aromatico | vinagre de hierbas |
| Kreditauskunft *f*, ¨-e | credit information | renseignements de crédit | informazioni sui crediti | información sobre creditos |
| ~sersuchen *n*, - | credit enquiry | demande de renseignements de crédit | richiesta d'informazioni sui crediti | solicitud de información de crédito |
| Kreditwürdigkeit *f* | creditworthiness, credit standing | solvabilité | capacità di credito | solvencia |

| Deutsch | Englisch | Französisch | Italienisch | Spanisch |
| --- | --- | --- | --- | --- |
| Kulanzweg, auf dem ~ | as a favour to the customer, ex gratia | à l'amiable | in via di correntezza | por vía de complacencia; como favor para el cliente |
| Kunde *m*, -en | customer, client | client | cliente | cliente; comprador |
| Kundendienst *m* | customer service | service après-vente | servizio assistenza | servicio técnico; servicio pos(t)venta |
| ~techniker *m*, - | service technician | technicien du service après-vente | tecnico del servizio assistenza | técnico del servicio pos(t)venta |
| ~werkstatt *f*, ⸚en | service centre | atelier de service après-vente | officina servizio assistenza | taller de servicio técnico |
| Kurbelwelle *f*, -en | crank shaft | arbre de manivelle | albero a gomiti | cigüeñal |
| kürzen, eine Rechnung ~ | make a deduction from an invoice | réduire le montant d'une facture | eseguire una detrazione su una fattura | hacer una deducción de una factura |
| kurzfristig | short-term | sous peu, à court terme | a breve scadenza | a corto plazo |

## L

| Deutsch | Englisch | Französisch | Italienisch | Spanisch |
| --- | --- | --- | --- | --- |
| Ladeeinheit *f*, -en | unit of freight | unité de chargement | unità di carico | unidad de carga |
| Lager *n*, - *od.* ⸚ | stock, warehouse | entrepôt, réserve, stock | magazzino | almacén; existencias |
| ~bestand *m*, ⸚e | stock (on hand), inventory | marchandises disponibles en stock, stock | scorte | existencias disponibles; inventario |
| Lasten, zu ~ des Käufers | payable by the buyer, at the buyer's expense | à la charge du client | a carico dell'acquirente | por cuenta del comprador; a cargo del comprador |
| Lastschriftanzeige *f*, -n | debit note, debit memo | avis de débit | nota di addebito | aviso de cargo |
| Lattenkiste *f*, -n | crate | caisse à claire-voie | gabbia d'imballaggio | cajón de enrejado; jaula |
| Lattenverschlag *m*, ⸚e | crate | caisse en lattis | imballaggio a gabbia | enrejado |
| Ledersitz *m*, -e | leather seat | siège en cuir | sedile in pelle | asiento de cuero |
| Lehrbuch *n*, ⸚er | textbook | livre d'enseignement | libro di testo | libro de texto |
| Lehrwerk *n*, -e | textbook | livre d'enseignement | libro di testo | libro de texto |
| Leistung *f (Vertrag)* | fulfilment, performance | accomplissement, prestation | adempimento, prestazione | cumplimiento; ejecución |
| Leistungsfähigkeit *f* | capacity, efficiency | capacité, productivité, puissance de rendement | capacità, efficienza | capacidad, eficiencia |
| Leiter der Fertigung | production manager | chef de production | direttore della produzione | gerente de producción |
| Leitwörter für Bezugszeichen | printed words indicating the space reserved for references | mentions de références | parole indicanti lo spazio riservato ai riferimenti | palabras impresas que indican el espacio reservado para las referencias |
| Letztverbraucher *m*, - | ultimate consumer | consommateur *(final)* | consumatore (finale) | consumidor final |
| lfd. m.= laufender Meter | running metre | le mètre courant *(pour des produits vendus au mètre)* | metro lineare | metro corriente |
| Lieferant *m*, -en | supplier | fournisseur | fornitore | proveedor, suministrador |
| Lieferbarkeit *f* | availability | disponibilité d'une marchandise | disponibilità | disponibilidad |

| | | | | |
|---|---|---|---|---|
| Lieferdatum *n*, -daten | delivery date | date de livraison | data di consegna | fecha de suministro |
| Lieferklauseln *pl* | terms of delivery, trade terms | clause de livraison | clausole di consegna | condiciones de entrega, cláusulas de entrega |
| Liefermenge *f*, -en | quantity delivered | quantité à livrer | quantitativo consegnato | cantidad a suministrar; cantidad entregada |
| Lieferung *f*, -en | delivery | livraison | consegna, fornitura | suministro, entrega |
| ~sbedingungen *pl* | terms of delivery | conditions de livraison | condizioni di consegna | condiciones de suministro |
| ~sverzögerung *f*, -en | delay in delivery | retard de livraison | ritardo nella consegna | retraso en el suministro |
| ~sverzug *m* | failure to meet delivery obligations, default in delivery | non-respect du délai de livraison, défaut de livraison | mora nella consegna | incumplimiento del plazo de suministro |
| Lieferzeit *f*, -en | delivery time | délai de livraison | termine di consegna | plazo de entrega, plazo de suministro |
| liquide Mittel *pl* | liquid funds | disponibilités, fonds disponibles | mezzi liquidi | fondos disponibles; recursos líquidos; disponibilidades líquidas |
| Liquidität *f* | liquidity | liquidité, trésorerie | liquidità | líquidez |
| Liquiditätsanspannung *f* | strain on liquidity | gêne de trésorerie | drenaggio di liquidità | restricciones de liquidez |
| Listenpreis *m*, -e | list price | prix-catalogue, prix-barème | prezzo di listino | precio de lista, precio de catálogo |
| Lizenz, in ~ herstellen | to manufacture under licence | produire sous licence | fabbricare su licenza | fabricar bajo licencia |
| ~fertigung *f* | manufacture under licence | fabrication sous licence | produzione su licenza | fabricación bajo licencia |
| ~geber *m*, - | licensor | concédant, détenteur de licence | concedente di licenza | otorgante de licencia; cedente de una licencia |
| ~gebühr *f*, -en | licence fee | droits d'exploitation d'une licence | diritto di licenza | derechos de licencia |
| ~nehmer *m*, - | licensee | requérant de licence | titolare di licenza, licenziatario | tomador de licencia; concesionario de una licencia |
| ~vertrag *m*, ⸚e | license agreement | contrat de licence | contratto di licenza | contrato de licencia |
| Lok (= Lokomotive) *f*, -s | locomotive | locomotive | locomotiva | locomotora |
| Luftfracht, per ~ | by airfreight | par fret aérien | trasporto via aerea | por flete aéreo |
| Luftpost, per ~ | by airmail | *(courrier)* par avion | via aerea | por vía aérea, por avión |

## M

| | | | | |
|---|---|---|---|---|
| Mahnbescheid *m*, -e | default summons | lettre de rappel, mise en demeure, sommation | decreto d'ingiunzione | apercibimiento |
| mahnen | remind | avertir, sommer de, mettre en demeure | sollecitare | reclamar, recordar, requerir |
| Mahngeb. = Mahngēbühr *f*, -en | dunning charge | frais d'avertissement, frais de mise en demeure | tassa d'ingiunzione | gastos de requerimiento |

| Deutsch | Englisch | Französisch | Italienisch | Spanisch |
| --- | --- | --- | --- | --- |
| Mahnung *f*, -en | reminder; request for payment, collection letter | sommation, avertissement, rappel, mise en demeure | sollecito | recordatorio; carta de reclamación, carta monitoria, carta exhortatoria |
| Mangel *m*, ⸚ | defect, deficiency | défaut, vice | vizio, difetto | defecto, deficiencia, vicio |
| Mängel in der Verarbeitung | faulty workmanship | vice de fabrication | difetti di lavorazione | fallos en la elaboración |
| mangelhafte Qualität | faulty quality | qualité défectueuse | qualità difettosa | calidad defectuosa |
| Mängelrüge *f*, -n | notice of defect | réclamation | denuncia dei vizi | reclamación por vicios; reclamación por defectos |
| Markierung *f*, -en | marking | marquage | marcatura | marcado |
| Markttest *m*, -s | market test | test de marché | studio di mercato | prueba de mercado |
| Maschinenbett *n*, -en | machine bed | plateau de machine | bancale | bancada de la máquina |
| Maschinenschaden *m* | engine trouble | panne de machines | guasto alle macchine | daño en una máquina; averíia de máquina |
| Material- oder Arbeitsfehler | faulty material or workmanship | défaut de matériel ou de fabrication | difetto di materiale o di lavorazione | defecto del material o fallo en el trabajo |
| Materialbeschaffung *f* | procurement of materials | approvisionnement, fourniture de matériel | approvvigionamento di materiale | obtención de material, adquisición de material |
| Mehrkosten *pl* | additional costs | frais supplémentaires | spese supplementari | costes adicionales |
| Mehrplatzsystem *n*, -e | multistation system | système à postes périphériques | sistema multiposto | sistema multiplaza |
| Mehrwertsteuer *f* | value-added tax | la T.V.A. (la taxe sur la valeur ajoutée) | IVA (imposta sul valore aggiunto) | impuesto sobre el valor añadido |
| Meinungsverschiedenheit *f*, -en | dispute | différend | divergenza d'opinioni | disputa, discrepancia de pareceres |
| Menge *f*, -n | quantity | quantité | quantità | cantidad |
| Mengenrabatt *m*, -e | quantity discount | rabais/remise sur la quantité | ribasso di quantità | descuento por cantidad |
| Meßgerät *n*, -e | measuring device | appareil de mesure | strumento di misura | medidor; instrumento de medición |
| Metallwarenbranche *f* | metal goods industry | secteur des produits métallurgiques | industria di ferramenta | industria de objetos de metal |
| Minderkaufmann *m*, -kaufleute | person having limited merchant status *(small trader)* | agent commercial *(non soumis à toutes les règles du droit commercial)* | piccolo imprenditore; persona con status commerciale ristretto | pequeño comerciante (con un status mercantil limitado) |
| Minderlieferung *f*, -en | short delivery | sous-livraison | fornitura minore | suministro incompleto; envío de menos |
| Minderung *f* | abatement of the purchase price | diminution, réduction | riduzione | disminución del precio de compra |
| Mitteilung *f*, -en | message | information, message, communication | comunicazione | mensaj, comunicación |
| ~sblatt *n*, ⸚er | information bulletin | bulletin d'information | bollettino d'informazione | boletín informativo |
| Möbelfachgeschäft *n*, -e | furniture shop | magasin de meubles spécialisé | negozio di mobili | tienda de muebles |

| | | | | |
|---|---|---|---|---|
| Momme *(japanische Gewichtseinheit)* | momme | unité de poids japonaise | momme | momme |
| Montage *f* | assembly; assembly shop | montage, assemblage | montaggio | montaje |
| ~roboter *m*, - | assembly robot | robot de montage | robot per il montaggio | robot de montaje |
| MS = Motorschiff *n*, *–e* | motor ship | bateau à moteur | motonave, nave a motore | motonave |
| multimodaler Transport | multimodal transport | transports à modes multiples | trasporto multimodale | transporte multimodal; transporte combinado |
| Muster *n*, - | sample, pattern | échantillon | campione | muestra; patrón |
| mustergetreu | according to sample | conforme à l'échantillon | conforme al campione | conforme a la muestra |
| Mustervertrag *m*, ⁻̈e | sample agreement | contrat type | contratto fac simile | contrato tipo, contrato muestra, contrato normativo |
| MwSt. = Mehrwertsteuer *f* | value-added tax | T.V.A. = taxe à la valeur ajoutée | IVA = imposta sul valore aggiunto | impuesto sobre el valor añadido (IVA) |

## N

| | | | | |
|---|---|---|---|---|
| Nachbesserung *f*, -en | elimination of defects, repair | retouche, amélioration | ritocco, riparazione | reparación, eliminación de defectos |
| Nachbestellung *f*, -en | reorder, repeat order | seconde commande, commande ultérieure | ordinazione successiva | nueva orden; pedido posterior; repetición del pedido |
| Nachfrist *f*, -en | additional time, respite | délai supplémentaire, sursis | proroga del termine | prolongación del plazo; plazo prolongado |
| nachkommen, seinen Verpflichtungen ~ | meet one's obligations | s'acquitter de ses obligations/engagements | far fronte ai propri obblighi | cumplir sus compromisos, cumplir sus obligaciones |
| Nachnahme, gegen ~ | cash on delivery (COD) | en contre-remboursement | pagamento in contrassegno | contra reembolso |
| Nachprüfung *f*,-en | investigation | vérification | verifica | investigación |
| Nachschußpflicht *f* | obligation to pay additional contribution | obligation d'apport de capitaux supplémentaires | obbligo di fare versamenti supplementari | obligación de efectuar un pago adicional |
| Nationalitätskennzeichen für Kraftfahrzeuge | nationality code for motor vehicles | plaque d'identification d'un pays | targa di nazionalità per autoveicoli | placa de nacionalidad para los vehículos de motor |
| Naturkosmetika *pl* | biocosmetics | cosmétiques à base de produits naturels | cosmetica naturale | biocosméticos, bioproductos de belleza |
| Nettogewicht *n* | net weight | poids net | peso netto | peso neto |
| Niederlassung *f*, -en | branch establishment or (local) subsidiary | succursalle, agence | succursale | sucursal; establecimiento |
| Normalzubehör *n* | standard accessories | accessoires standards | accessori standard | accesorios estándar |

## O

| | | | | |
|---|---|---|---|---|
| offene Handelsgesellschaft | a form of unincorporated enterprise in Germany *(corresponds to the ordinary partnership)* | société en nom collectif | società in nome collettivo | sociedad colectiva |

| Deutsch | Englisch | Französisch | Italienisch | Spanisch |
|---|---|---|---|---|
| offener Posten | unpaid invoice, overdue account | arriéré, impayé | partita in sospeso | factura por pagar, partida pendiente de pago |
| offizielle Vertretung | diplomatic or consular mission | représentant officiel | rappresentanza ufficiale | misión diplomática o consular, representación oficial |
| oHG *s.* offene Handelsgesellschaft | | | | |
| Order, an ~ lautend | made out to order | libellé à l'ordre | emesso all'ordine | pagadero a la orden |
| Order eigene | to drawer's order | ordre du tireur | a proprio ordine | a orden del librador |
| Organ *n (eines Unternehmens)* | organ, body | organe, institution | organo | órgano |
| Overhead–Projektor *m*, -en | overhead projector | rétroprojecteur | proiettore overhead | proyector por hojas transparentes |

## P

| Deutsch | Englisch | Französisch | Italienisch | Spanisch |
|---|---|---|---|---|
| Packstück *n*, -e | package | paquet, colis | collo | bulto, envase, paquete |
| Palette *f*, -n | pallet | palette | palet, paletta | paleta, plataforma |
| pauschale Versicherungssumme | lump-sum policy amount | assurance forfaitaire | somma assicurata forfettaria | suma asegurada a tanto alzado; suma asegurada fija |
| Personal-Computer *m*, - | personal computer | ordinateur personnel | personal computer | ordenador personal |
| Personengesellschaft f, -en | (trading) partnership | société de personnes | società di persone | sociedad personalista |
| Police *f*, -n | policy | police d'assurance, | polizza | póliza |
| Porto *n*, -i | postage | port | affrancatura | franqueo, porte |
| Position *f (einer Bestellung, Rechnung usw.)* | item | position, poste | posizione, voce | partida, posición |
| Post, mit getrennter - | under separate cover | par courrier/pli séparé | in plico separato | por correo separado |
| mit gleicher ~ | under separate cover | par courrier/pli séparé | in plico a parte | por correo separado |
| ~fach *n*, ¨-er | post-office box | boîte/case postale | casella postale | apartado (de correo), casilla (postal) |
| ~giroamt *n*, ¨-er | postal giro office | service de virement postal | ufficio conti correnti postali | oficina de cheques postales |
| postlagernd | poste restante | poste restante | fermo posta | lista (de correos) |
| Postleitzahl *f*, -en | postcode, ZIP code | code postal | codice di avviamento postale | código postal |
| Postgut, als ~ | by parcel post | par colis postal | per pacco postale | por paquete postal |
| Postscheck *m*, -s | postal cheque | chèque postal | assegno postale | cheque postal |
| Preis *m*, -e | price, charge | prix | prezzo | precio; importe |
| ~ je Einheit | price per unit | prix à l'unité | prezzo per unità | precio por unidad |
| Preisänderungen vorbehalten | prices are subject to change without notice | sous réserve de toutes modifications de prix | salvo variazioni di prezzo | salvo modificación; a reserva de modificación; los precios están sujetos a modificación sin preaviso |

| | | | | |
|---|---|---|---|---|
| | maintenance | | | de venta al público, de precio controlado |
| Preisliste *f*, -n | price list | tarif, liste de prix | listino prezzi | lista de precios |
| Preisnachlaß *m*, -nachlässe | discount; allowance | remise, ristourne, rabais | riduzione del prezzo | descuento; bonificación; rebaja |
| privatrechtliche Vereinigung | private-law association | association de droit privé | associazione di diritto privato | asociación jurídico-privada; asociación de derecho privado |
| Probeauftrag *m*, ¨-e | trial order | commande d'essai | ordine a titolo di prova | pedido de prueba |
| Produktinformation *f*, -en | product information | informations sur le produit | informazione sui prodotti | información sobre el producto |
| Proforma-Rechnung *f*, -en | pro-forma invoice | facture fictive/proforma | fattura proforma | factura proforma |
| Programmangebot *n* | range of products | gamme de produits offerts | gamma dei prodotti | línea de productos, oferta de productos; surtido |
| Projektions-Meßgerät *n*, -e | measuring projector | appareil de mesure par projection | strumento di misura a proiezione | medidor por proyección |
| Prokura *f* | authority to act on behalf of principal (wider in scope than *Handlungsvollmacht*) | procuration | procura (è più ampia della *Handlungsvollmacht*) | poder (para actuar en nombre del poderdante; es más amplio que el *Handlungsvollmacht*) |
| Prokurist *m*, -en | employee holding *Prokura* | fondé de pouvoir, personne investie d'une procuration commerciale générale | procuratore | empleado investido de poderes |
| Prolongation *f* | prolongation | prolongation, prorogation | proroga | prolongación; prórroga |
| prolongieren | prolong, extend | prolonger, proroger | prolungare, prorogare | prolongar; prorrogar |
| Prospekt *m*, -e | leaflet, brochure | prospectus, dépliant | prospetto, dépliant | folleto, prospecto |
| Provision *f*, -en | commission | commission | provvigione | comisión |
| Provisionsbasis, auf ~ | on a commission basis | à la commission | a provvigione | a base de comisión |
| Prozeß *m*, Prozesse | lawsuit, legal action | procès | processo | proceso; acción legal |
| prüfen | examine, check | vérifier, contrôler | verificare, controllare | examinar, verificar |
| Prüfungsprotokoll n, -e | test chart | rapport de contrôle | verbale di controllo | informe sobre la revisión: acta de examen |

## R

| | | | | |
|---|---|---|---|---|
| Rabatt *m*, -e | discount | rabais, remise, réduction | ribasso | descuento, rebaja, bonificación |
| Rate *f*, -n | instalment | tempérament, terme | rata | plazo |
| rationalisieren | streamline, improve the efficiency of | rationaliser | razionalizzare | racionalizar; mejorar la eficiencia |
| Rechnung *f*, -en | bill, invoice; account | facture | fattura | cuenta; factura |
| auf Ihre ~ und Gefahr | at your risk and expense | à vos risques et périls | per Vs. conto e rischio | por su cuenta y riesgo |
| für ~ von | for the account of | pour le compte de | per conto di | a cuenta de |
| für eigene ~ | for one's own account | pour son propre compte | per conto proprio | por cuenta propia |

| Deutsch | Englisch | Französisch | Italienisch | Spanisch |
|---|---|---|---|---|
| ~sbetrag *m*, ¨-e | invoice amount | montant de la facture | importo della fattura | importe de la factura |
| ~sdatum *n*, -daten | date of invoice | date de facture | data della fattura | fecha de la factura |
| Rechtsanwalt *m*, ¨-e | lawyer, solicitor, attorney | avocat, avoué | avvocato | abogado, letrado |
| ~skanzlei *f*, -en | law office, law firm | cabinet d'avocat | studio legale | bufete (de abogado) |
| Rechtsform *f*, -en | legal form | forme juridique | forma giuridica | forma legal, forma jurídica |
| Rechtspersönlichkeit *f* | legal personality | personne civile | personalità giuridica | personalidad jurídica, personalidad legal |
| Rechtsstreit *m* | legal dispute | litige | causa, vertenza giuridica | disputa legal; litigio |
| Reeder *m*, - | shipowner, shipping company | armateur, fréteur | armatore | armador; naviero |
| Reederei *f*, -en | shipping company | compagnie d'armement | compagnia armatoriale | compañía naviera |
| Referenz *f*, -en | reference | référence | referenza | referencia |
| Regal *n*, -e | shelf | étagère, rayonnage | scaffale | estantería, estante |
| regeln, Beschwerde ~ | settle a complaint | donner suite à une réclamation | regolare un reclamo, regolare una protesta | arreglar una reclamación |
| Registergericht *n*, -e | registry court | juridiction | ufficio del registro delle imprese | tribunal de registro |
| reines Konnossement | clean bill of lading | connaissement sans réserve | polizza di carico pulita | conocimiento de embarque sin restricciones, conocimiento de embarque sin objeciones |
| Reisende *m*, -n | commercial traveller, travelling salesman | voyageur de commerce, représentant de commerce | commesso viaggiatore | viajante (de comercio) |
| Reklamation *f*, -en | complaint | réclamation, plainte | reclamo | reclamación, protesta, objeción |
| Reling *f* | (ship's) rail | bastingage | parapetto | borda |
| Remittent *m*, -en | payee | bénéficiaire d'une traite | beneficiario | remitente; tenedor |
| Reparatur *f*, -en | repair | réparation | riparazione | reparación |
| ~abteilung *f*, -en | repair department | service des réparations | reparto riparazioni | sección de reparaciones |
| Restbetrag m, ¨-e | balance, remainder | le solde | importo restante, importo residuo | importe restante, importe residual; saldo |
| Restlieferung des Auftrags vornehmen | deliver the balance of the order | solder une commande, livrer les postes restants | eseguire la fornitura restante dell'ordine | proceder al suministro del resto del pedido |
| Retoure *f*, -n | (merchandise) return | renvoi | (merci di) ritorno | devolución; (mercancía) devuelta |
| Rohgewinnspanne *f*, -n | gross margin | marge bénéficiare brute | margine dell'utile lordo | margen de beneficio bruto |
| Rohstoffpreise *pl* | raw material prices, commodity prices | prix des matières premières | prezzi delle materie prime | precios de las materias primas |
| Rückerstattung des Kaufpreises | refund of the purchase price | remboursement du prix d'achat | rimborso del prezzo d'acquisto | devolución del precio de compra |

| | | | | |
|---|---|---|---|---|
| Rückstände *pl* | outstanding deliveries or payments | les arriérés, les retards | forniture o pagamenti arretrati | atrasos (en el suministro o en el pago) |
| rückständig *(Lieferung, Zahlung)* | in arrears, outstanding | en retard, impayé | arretrato | (suministros o pagos) atrasados |
| Rücktritt vom Vertrag | rescission of the contract | désistement, résiliation | recesso dal contratto | desistimiento del contrato |
| Ruf *m* | reputation | réputation | reputazione | reputación; renombre |
| rügen, Mängel ~ | give notice of defect | envoyer une réclamation | denunciare i vizi | reclamación por defecto |

# S

| | | | | |
|---|---|---|---|---|
| S-Bahn-Wagen *m*, - | suburban train car | wagon de métro express | carrozza della suburbana | coche del suburbano |
| Sachbearbeiter *m*, - | lower-level manager having authority to sign *(e.g., personnel officer, purchasing officer)* | employé spécialisé | impiegato di concetto | empleado (del escalafón bajo) autorizado a firmar; encargado de dossier |
| Sack *m*, ¨-e | bag, sack | sac | sacco | saco, bolsa |
| Saldo *m*, Salden | balance | solde | saldo | saldo |
| säumiger Schuldner | defaulting debtor, delinquent debtor | débiteur négligent | debitore moroso | deudor moroso |
| Sauna *f*, -s | sauna | sauna | sauna | sauna |
| Schadenersatz *m* | damages, compensation | dommages et intérêts | risarcimento danni | indemnización |
| ~ wegen Nichterfüllung | damages for nonperformance | pour cause de non-exécution | risarcimento danni per inadempienza | indemnización por incumplimiento |
| Schadensmeldung einreichen | report a loss, file a claim | faire une déclaration de sinistre | inoltrare la denuncia di danno | avisar un daño; comunicar un siniestro |
| Schaltung *f*, -en | switch | interrupteur | interruttore | conexión |
| Schaumstoff–Formteil *n*, -e | foam plastic moulding | moules de rembourrage en mousse | pezzo stampato in materiale espanso | pieza matrizada de material esponjoso |
| Scheck *m*, -s | cheque, check | chèque | assegno | talón; cheque |
| Schiedsgericht *n*, -e | court of arbitration | tribunal d'arbitrage | collegio arbitrale | tribunal arbitral |
| Schiedsrichter *m*, - | arbitrator | juge-arbitre | arbitro | (juez) árbitro |
| ~ benennen | appoint an arbitrator | nommer un juge-arbitre | nominare gli arbitri | designar un árbitro |
| Schiedsspruch *m*, ¨-e | arbitral award | sentence arbitrale | lodo | laudo (arbitral), sentencia arbitral |
| Schiedsverfahren *n*, - | arbitration procedure, arbitration proceedings | procédure d'arbitrage | procedimento arbitrale | procedimiento arbitral |
| schleifen | to ground | polir | rettificare | afilar, amolar, rectificar |
| schleppende Zahlungsweise | dilatory payment (of bills) | paiements effectués avec retard | lentezza nei pagamenti | pago dilatorio (de las facturas) |
| Schlußformel *f*, -n | complementary close | formule de politesse | formula di chiusura | fórmula final, fórmula de cortesía |
| Schreibkraft *f*, ¨-e | (shorthand-)typist | dactylographe | dattilografa | mecanógrafo |
| Schreibmaschine *f*, -en | typewriter | machine à écrire | macchina da scrivere | máquina de escribir |

| Deutsch | Englisch | Französisch | Italienisch | Spanisch |
|---|---|---|---|---|
| schuldhaft | negligent | coupable, fautif | colposo | culpable, culposo; negligente |
| Schuldner *m*, - | debtor | débiteur | debitore | deudor |
| Schweißmaterialien/ Schweißtechnik | welding materials/welding systems | matériaux de soudure/ technique de soudure | materiale di saldatura/tecnica della saldatura | materiales de soldadura/ técnica de soldadura |
| Seefracht *f* | ocean freight | fret maritime | nolo marittimo | flete marítimo |
| seemäßige Verpackung | seaworthy packing | emballage adapté aux transports maritimes | imballaggio marittimo | embalaje marítimo |
| Seeschiffahrt *f* | ocean shipping | transports maritimes | navigazione marittima | navegación marítima |
| Seetransportversicherung *f* | marine insurance, ocean marine insurance | assurance maritime | assicurazione marittima | seguro (de transporte) marítimo |
| selbständig, rechtlich ~ | legally independent | juridiquement indépendant | con autonomia giuridica | jurídicamente independiente |
| sende- und empfangsfähig | capable of transmitting and receiving | capable de recevoir et d'envoyer des messages | capace di trasmettere e ricevere | capaz de transmitir y de recibir |
| Sicherheitsvorschriften *pl* | safety regulations | consignes de sécurité | norme di sicurezza | disposiciones de protección; disposiciones de seguridad |
| Sicht, bei ~ | at sight, on demand | à vue | a vista | a la vista |
| Sichttratte *f*, -n | sight draft | traite à vue | tratta a vista | letra (cambial) a la vista |
| Sichtwechsel *m*, - | sight bill | lettre de change à vue | cambiale a vista | efecto a la vista |
| Sitz *m (eines Unternehmens)* | legal domicile, registered office, principal place of business | siège social | sede legale | sede (de una empresa), domicilio social |
| Skonto *m od. n* | cash discount | escompte, remise au comptant | sconto (per pagamento in constanti) | descuento (para pago al contado) |
| Sonderausstellung *f*, -en | special exhibit | foire spéciale | esposizione speciale | exhibición especial |
| Sonderzeichen *n*, - | special character | symboles/caractères spéciaux | carattere speciale | caracteres especiales |
| Sortiment *n* | range of merchandise | assortiment, gamme de produits | assortimento | surtido; gama de mercancías |
| Spediteur *m*, -e | forwarding agent, freight forwarder | commissionaire de transport | spedizioniere | agente de transportes |
| Speicher *m*, - *(Computer)* | memory | mémoire | memoria | memoria |
| Speicherschreibmaschine *f*, -n | memory typewriter | machine à écrire à mémoire | macchina da scrivere con memoria | máquina (de escribir) con memoria |
| Speicherung *f (Computer)* | storage | mémorisation | memorizzazione | almacenamiento |
| Spurweite *f*, -n | railway gauge | écartement des voies | scartamento | ancho de vía |
| Stahlbandumreifung *f* | steel strapping | entouré d'un ruban d'acier | reggiatura a nastro d'acciaio | cinchado con fleje de acero |
| Stammeinlage *f*, -n | capital contribution *(to GmbH)* | apport de fonds initial (d'une *GmbH*) | quota sociale (di una *GmbH*) | aportación al capital (de una *GmbH*) |
| Stammkapital *n* | nominal capital *(of GmbH)* | capital social, capital initial (d'une *GmbH*) | capitale sociale (di una *GmbH*) | capital social (de una *GmbH*) |

| | | | | |
|---|---|---|---|---|
| Stereo-Radiorecorder *m*, - | stereo radio recorder | radio-magnétophone stéréo | radioregistratore stereo | radio-cassette estéreo |
| stillschweigend | tacit(ly) | tacite | tacito, tacitamente | tácito; tácitamente |
| stornieren | cancel | annuler | stornare | anular, cancelar |
| Stornierung *f*, -en | cancellation | annulation | storno | anulación, cancelación |
| Störung *f*, -en | trouble | dérangement, panne | disturbo, inconveniente | perturbación, trastorno, avería |
| Straßentransport *m* | transport by road | transport routier | trasporto su strada | transporte por carretera |
| Streik *m*, -s | strike | grève | sciopero | huelga |
| Streitigkeit *f*, -en | dispute | différend | controversia | disputa |
| Stück *n*, -e | piece *(length of cloth)* | pièce | pezzo, unità | pieza |
| stunden, den Restbetrag ~ | grant an extension for the balance | accorder un sursis pour le paiement du solde | concedere una dilazione per l'importo residuo | conceder una prórroga para el importe restante |
| Stundung von Forderungen | deferment of payment | sursis de paiement des creánces | moratoria di crediti | aplazamiento del pago |
| Suppentasse *f*, -en | soup bowl | tasse à soupe | tazza da brodo | taza de sopa |

## T

| | | | | |
|---|---|---|---|---|
| Tariflöhne und -gehälter *pl* | collectively negotiated wages and salaries | salaires et appointements négociés par convention collective | salari e stipendi contrattuali | sueldos y salarios negociados en convenios colectivos |
| Tastatur *f*, -en | keyboard | clavier | tastiera | teclado |
| Teilhafter *m*, - | limited partner | commanditaire | socio a responsabilità limitata | (socio) comanditario |
| Teilsendung *f*, -en | part shipment | livraison partielle | consegna parziale | envío parcial |
| Telefaxgerät *n*, -e | facsimile machine, fax machine | télécopieur | apparecchio telefax | aparato de telefax, (tele)fax |
| Teletexgerät *n*, -e | teletex machine | télétex | apparecchio teletex | aparato de teletex |
| Termin *m*, -e | appointment; appointed date, deadline | délai | termine | cita; fecha, día |
| Textcomputer *m*, - | word processing machine | ordinateur de traitement de textes | videoscrittura | ordenador para tratamiento de textos |
| Textilfabrik *f*, -en | textile mill | fabrique de textiles | fabbrica tessile | fábrica textil |
| Textverarbeitung *f* | word processing | traitement de textes | elaborazione testi | tratamiento de textos |
| Tochtergesellschaft *f*, -en | subsidiary (company) | filiale, societé affilieé | società affiliata | filial, casa afiliada; sucursal |
| Trachtenanzug, bayerischer ~ | Bavarian suit | costume folklorique bavarois | costume regionale bavarese | traje bávaro |
| Traditionspapier *n*, -e | document of title | justificatif du titre de propriété | titolo di credito trasferibile | título de tradición; valor en mercaderías |
| Transport *m*, -e | transport, carriage, conveyance | transport, l'expédition | trasporto | transporte |
| ~versicherung *f* | transport insurance, marine i. | assurance de transport | assicurazione trasporti | seguro de transporte |
| Trassant *m*, -en | drawer | tireur | traente | librador, girador |
| Trassat *m*, -en | drawee | tiré | trattario | librado, girado |

| Deutsch | Englisch | Französisch | Italienisch | Spanisch |
|---|---|---|---|---|
| Tratte *f*, -n | draft | traite, | tratta | giro, libranza, letra |
| Trattenankündigung *f*, -en | advice of bill drawn | avis d'émission d'une traite | avviso di tratta | aviso de libranza (de letra) |
| Trattenavis *n*, -e | advice of bill drawn | avis d'émission d'une traite | avviso di tratta | aviso de libranza (de letra) |
| Treuerabatt *m*, -e | loyalty discount | remise de fidélité | abbuono di fedeltà | rebaja de fidelidad |
| Trommel *f*, -n | drum | bidon, barril | tamburo | tambor |

## U

| Deutsch | Englisch | Französisch | Italienisch | Spanisch |
|---|---|---|---|---|
| übergeben, einem Rechtsanwalt zum Einzug ~ | turn over to a solicitor for collection | confier le recouvrement à un avocat | rimettere all'avvocato per l'incasso | entrega a un abogado para su cobranza |
| übermitteln | transmit | transmettre | trasmettere | transmitir |
| Übermittlung *f* | transmission | transmission | trasmissione | transmisión |
| Übernahmekonnossement *n*, -e | received for shipment bill of lading | connaissement "reçu pour embarquement" | polizza ricevuta per l'imbarco | conocimiento para embarque |
| übersehen | overlook | ne pas s'apercevoir de qc | trascurare per svista | pasar por alto, no advertir, no notar |
| übertragen | transfer, transmit; transcribe *(dictation)* | céder, confier | concedere, trasferire; trascrivere (dettato) | transferir, transmitir; transcribir (un dictado) |
| durch Indossament ~ | transfer by endorsement | céder par endossement | girare, trasferire a mezzo girata | transferencia por endoso |
| jdm die Alleinvertretung ~ | appoint sb sole agent, entrust sb with the sole agency | céder la représentation exclusive à qn | concedere a qd. la rappresentanza esclusiva | nombrar a alg. para llevar la representación (en) exclusiva |
| überweisen | transfer, remit | virer, transférer | rimettere | transferir, remitir |
| Übungsmaterial *n*, -ien | practice materials | ouvrages d'exercices | materiale per esercizi | material de prácticas |
| Uhren-Radiorecorder *m*, - | clock radio recorder | radio-magnétophone avec horloge | radio-sveglia con mangiacassette | radio-cassette con reloj |
| Umsatz *m*, ¨-e | turnover, sales (revenue) | chiffre d'affaires | fatturato, giro d'affari | (cifra de) facturación; cifra de negocio, volumen de ventas |
| Umsatzsteuer *f* | turnover tax | taxe sur la valeur ajoutée (T.V.A.) | imposta sul valore aggiunto (IVA) | impuesto sobre el valor añadido (IVA) |
| umsatzsteuerfrei | exempt from turnover tax | exempt de taxe sur le chiffre d'affaires | esente dalla tassa di scambio | exento del impuesto sobre el volumen de ventas (o: la cifra de negocios) |
| Umsatzsteuer-Identifikationsnummer *f*, -n | VAT registration number | numéro d'identification | numero di partita IVA | numero de identificación fiscal |
| umsatzsteuerpflichtig | liable to turnover tax | assujetti à la taxe sur le chiffre d'affaires | soggetto alla tassa di scambio | sujeto al impuesto sobre el volumen de ventas |
| UstG (Umsatzsteuergesetz) | turnover tax law | la loi de la taxe sur le chiffre d'affaires | legge sulla tassa di scambio | Ley del impuesto sobre la cifra de negocios |

| | | | | |
|---|---|---|---|---|
| | | | | reconversión |
| Umtausch *m* | exchange | échange | cambio | cambio |
| Umwandlung *f* | conversion, transformation | transformation juridique | trasformazione | transformación, conversión |
| Umweltschutz *m* | environmental protection | protection de l'environnement | tutela dell'ambiente | protección ambiental; ecología; geohigiene |
| Umzug *m*, ¨-e | removal, relocation | déménagement | trasloco | traslado, mudanza |
| unberechtigte Beschwerde | unjustified complaint, unfounded complaint | réclamation injustifiée | reclamo ingiustificato | reclamación injustificada, queja sin fundamento |
| unbeschränkt haften | have unlimited liability | porter la responsabilité sans limite | rispondere illimitatamente | responder ilimitadamente |
| unbestätigtes Akkreditiv | unconfirmed (letter of) credit | accréditif non confirmé | lettera di credito non confermata | crédito documentario no confirmado |
| unreines Konnossement | foul bill of lading | connaissement avec réserves | polizza di carico sporca | conocimiento de embarque tachado, conocimiento de embarque defectuoso |
| unstreitiger Anspruch | undisputed claim | droit incontestable | pretesa incontestata | reclamación incontestable; queja indiscutible |
| unterbreiten, Angebot ~ | submit an offer | soumettre/remettre une offre | sottoporre un'offerta | someter una oferta |
| Unterhaltungselektronik *f* | entertainment electronics | électronique de grand public | materiale elettronico per il tempo libero | electrónica de consumo; electrónica para el público; electrónica de entretenimiento |
| Unterlagen *pl* | literature, documentation | documentation | materiale d'informazione, documentazione | documentación, antecedentes |
| unterlaufen, es ist Ihnen ein Versehen ~ | you have made an error | une erreur vous a échappé | ha avuto una svista | se le ha escapado una equivocación; ha cometido un error |
| Unternehmen *n*, - | (business) enterprise | entreprise, société, établissement | impresa | empresa; negocio |
| unterschriftsberechtigt | authorized to sign | être autorisé à signer | avere facoltà di firma | autorizado para firmar |
| Untertasse *f*, -en | saucer | soucoupe | piattino | platillo |
| unverbindlich | without obligation; without engagement, subject to confirmation *(offer)* | sans engagement | senza impegno | sin compromiso; sujeto a confirmación |
| unverlangtes Angebot | unsolicited offer | offre spontanée | offerta non sollecitata | oferta no solicitada |
| unverzollt | uncleared; duty unpaid | non dédouané | non sdoganato | sin pago de derechos; no pagados los derechos |
| unwiderrufliches Akkreditiv | irrevocable (letter of) credit | accréditif/lettre de crédit irrévocable | lettera di credito irrevocabile | crédito documentario irrevocable |
| Ursprungsbezeichnung *f* | mark of origin | marque d'origine | denominazione d'origine | denominación de origen |
| Ursprungserklärung *f*, -en | declaration of origin | déclaration sur l'origine | dichiarazione d'origine | declaración de origen |
| Ursprungszeugnis *n*, -se | certificate of origin | certificat d'origine | certificato d'origine | certificado de origen |

| Deutsch | Englisch | Französisch | Italienisch | Spanisch |
|---|---|---|---|---|
| **V** | | | | |
| Valuta *f*, -en | currency; value or maturity date | date de valeur | valuta | moneda; valor, valuta |
| valutieren | set the value or maturity date | attribuer/fixer une date de valeur | fissare la valuta di, valutare | asignar un valor; fijar una fecha |
| veranlassen, Zahlung | arrange payment | faire procéder au paiement | disporre il pagamento | disponer el pago |
| verantworten, zu ~ haben | be responsible for | avoir à répondre de | essere responsabile di c. | ser responsable de; hacerse responsable de |
| verbindlich ⸚ | binding | ferme | vincolante | vinculante, obligatorio |
| Verbindlichkeit *f*, -en | liability, obligation | obligation, engagement | impegno; debito | obligación, carácter obligatorio |
| Verbindlichkeiten *pl (Buchf.)* | creditors, accounts payable | dettes, obligations, exigibilités | debiti; creditori *(bil.)* | pasivo exigible, deudas |
| verbrieft | evidenced by a written document | garanti, prouvé par écrit | chirografario, garantito da un documento | certificado en documento escrito |
| verdorbene Ware | spoilt goods | marchandise avariée | merce deteriorata | bienes estropeados |
| Verfall, bei ~ | at maturity, when due | à échéance | alla scadenza | al vencimiento |
| Verfrachter *m*, - | ocean carrier | fréteur, armateur | vettore marittimo | fletante marítimo |
| Verfügung, zur ~ stellen | to place at sb's disposal | mettre à disposition | mettere a disposizione | poner a disposicioón |
| Verhandlung *f (vor Gericht)* | (court) hearing | audience | udienza | juicio, debate de la causa |
| Verkauf *m*, e | sale | vente | vendita | venta |
| Verkäufer *m*, - | seller; salesman | vendeur | venditore | vendedor |
| Verkaufsaussichten *pl* | sales prospects | perspectives de vente | prospettive di vendita | perspectivas de venta |
| Verkaufsbedingungen *pl* | terms of sale | conditions de vente | condizioni di vendita | condiciones de venta |
| Verkaufsbüro *n*, -s | sales office | bureau de vente | ufficio vendite | oficina de venta(s) |
| Verkaufserlös *m*, -e | sales proceeds, s. revenue | produit de la vente | ricavo dalle vendite | producto de la(s) venta(s) |
| Verkaufsgebiet *n*, -e | sales territory | zone, territoire dans lequel on a le droit de vendre | territorio di vendita | zona de venta |
| Verkaufsleiter(in) | sales manager | chef de vente | direttore (direttrice) vendite | gerente de ventas; director/directora de ventas |
| Verkaufsorganisation *f* | marketing organization | l'organisation de la distribution | organizzazione vendite | organización de ventas |
| Verkaufsstrategie *f*, -n | sales strategy | stratégie de vente | strategia di vendita | estrategia de ventas |
| Verkehrsträger *m*, - | carrier | transporteur | vettore del traffico | transportista, empresa de transportes |
| Verladung *f* | loading | chargement | caricamento, operazione di carico | carga |
| Verlagsprogramm *n*, -e | (publisher's) book list | programme de publication | programma editoriale | programa de publicaciones (de la editorial) |
| Verlängerung *f* | prolongation, extension | prolongation, prorogation | proroga | prolongación, prórroga; extensión |

| | | | | |
|---|---|---|---|---|
| Verlust *m*, -e | loss | perte | perdita | pérdida |
| Vermerk *m* | note | remarque | nota | nota |
| vermitteln, Geschäfte ~ | negotiate business | servir d'intermédiaire, procurer des affaires à qn | procurare affari | agenciar negocio, proporcionar negocio, intermediar negocio |
| Vermittler *m*, - | intermediary | intermédiaire, médiateur | intermediario | intermediario |
| Vermögenslage *f* | financial situation, financial status | situation financière | situazione patrimoniale | situación financiera, status financiero |
| Vernichtung der Ware | loss (destruction) of the goods | destruction de la marchandise | distruzione della merce | pérdida (destrucción) de la mercancía |
| Verpackung *f*, -en | packing, packaging | emballage | imballaggio | embalaje, empaque |
| Verrechnungsscheck *m*, -s | cheque intended to be credited to a bank account *(similar to a British crossed cheque)* | chèque barré | assegno sbarrato | cheque cruzado, cheque barrado; cheque de compensación |
| Versand *m* | despatch, delivery, shipment | expédition | spedizione | envío, despacho, expedición |
| ~abteilung *f*, -en | despatch department, shipping department | service d'expédition | reparto spedizioni | sección de expedición, departamento de despachos |
| ~anzeige *f*, -en | despatch advice, shipping a. | avis d'expédition | avviso di spedizione | aviso de expedición |
| ~art *f*, -en | mode of delivery | mode d'expédition | tipo di spedizione | modo de despacho |
| versandbereit | ready for despatch | prêt à être expédié | pronto per la spedizione | listo para el despacho |
| Versanddokument *n*, -e | shipping document | document d'expédition | documento di spedizione | documento de envío |
| Versandkontrolle *f*, -n | pre-shipment inspection | dernier contrôle avant l'expédition | controllo della spedizione | inspección antes del envío |
| Versandschein | transit document | papier d'expédition | documento di transito | documento de expedición |
| Versandspesen *pl* | delivery expenses | frais d'expédition | spese di spedizione | gastos de expedición |
| verschiffen | to ship | transporter par voie maritime, embarquer | imbarcare, trasportare per via d'acqua | embarcar, cargar |
| Verschiffungshafen *m*, ¨- | port of shipment | port d'embarquement | porto d'imbarco | puerto de embarque |
| Verschulden *n* | fault, negligence | faute | colpa, colpevolezza | culpabilidad, culpa |
| Versicherung *f* | insurance | assurance | assicurazione | seguro |
| ~sgesellschaft *f*, -en | insurance company | compagnie d'assurance | compagnia di assicurazione | compañia aseguradora; compañia de seguros |
| ~snehmer *m*, - | person effecting insurance, policyholder | assuré | assicurato | tomador del seguro; contratante del seguro; asegurado |
| ~sspesen *pl* | insurance charges | frais d'assurance | spese di assicurazione | gastos de(l) seguro |
| ~ssumme *f*, -n | policy amount | montant de l'assurance | somma assicurata | suma asegurada |
| ~szertifikat *n*, -e | insurance certificate | certificat d'assurance | certificato di assicurazione | certificado de seguro |
| versteckte Mängel *pl* | hidden defect | vice caché | vizio occulto | vicio oculto |
| verstehen, die Preise ~ sich FOB Hamburg | the prices are FOB Hamburg | les prix s'entendent FOB Hambourg | i prezzi s'intendono FOB Amburgo | los precios se entienden FOB Hamburgo |

| Deutsch | Englisch | Französisch | Italienisch | Spanisch |
|---|---|---|---|---|
| versteuert | tax (or duty) paid | taxe payée | imposta pagata | impuestos pagados |
| Verteilervermerk *m*, -e | carbon copy notation | indication pour la répartition des copies | annotazione relativa alle copie spedite | nota sobre las personas a las que se envía copia |
| Vertrag *m*, ⸚e | contract, agreement | contrat | contratto | contrato |
| vertragliche Regelung *f*, -en | contractual arrangement | accord contractuel | regolamento contrattuale | acuerdo contractual, regulación contractual |
| Vertragsangebot *n*, e | offer to enter into a contract | offre contractuelle | offerta di contratto | oferta de adherirse a un contrato |
| Vertragsbedingung *f*, -en | contract provision | conditions du contrat | condizione contrattuale | condicionado del contrato; condición contractual |
| Vertragshändler *m*, - | authorized dealer | concessionnaire | concessionario | concesionario |
| Vertragspartner *m*, - | party to a contract | contractant | parte contraente | parte contratante, parte del contrato |
| vertraulich | confidential | confidentiel | con riservatezza | confidencial |
| vertreiben *(Waren)* | distribute, sell | distribuer | distribuire, vendere | distribuir, vender |
| vertreten, zu ~ haben | be reponsible for | assumer la responsabilité | essere responsabile per qc. | ser responsable de |
| Vertreter *m*, - | representative, agent | représentant, agent | rappresentante | representante, agente |
| Vertretervertrag *m*, ⸚e | agency agreement | contrat de représentation | contratto di rappresentanza | contrato de representación, contrato de agencia |
| Vertretung *f*, -en | representation, agency | agence, représentation | rappresentanza | representación, agencia |
| Vertrieb *m* | distribution, marketing | distribution, vente | distribuzione | distribución, venta, comercialización |
| Vertriebskooperation *f*, -en | marketing cooperation | distribution en coopération | cooperazione nella distribuzione | cooperación en la venta |
| Verwaltungsgebäude *n*, - | head-office building, headquarters building | bâtiment administratif | sede amministrativa | (edificio de la) administración |
| verweigern, Annahme ~ | refuse acceptance | refuser la réception | rifiutare l'accettazione | rechazar la aceptación |
| Verzinkanlage *f*, -n | galvanizing plant | installation de galvanisation | impianto di zincatura | planta de galvanizado |
| verzinsen, mit ...% ~ | pay interest at a rate of ...% | payer un intérêt de... % | pagare interessi del ...% | devengar un interés del ... % |
| verzollen | clear through the customs, pay duty (on) | dédouaner, payer les droits de douane | sdoganare | pagar los derechos de aduana |
| Verzug *m* | failure to fulfil a contract, default | retard | mora | falta de cumplimiento de un contrato; mora |
| in ~ kommen | to default | être en retard, être en défaut d'exécution | cadere in mora | incurrir en mora |
| ~sschaden *m*, ⸚ | loss caused *(to the other party)* by a party's default | dommage causé par le retard | danno di mora | daño causado (a la otra parte) al incurrir en mora |
| ~szinsen *pl* | interest on arrears | intérêts de retard, intérêts moratoires | interessi di mora | intereses de mora |
| Vollhafter *m*, - | general partner | associé responsable et solidaire | socio a responsabilità illimitata | socio colectivo |

| | | | | |
|---|---|---|---|---|
| | | tenu d'observer le droit commercial | del diritto commerciale | completo de comerciante |
| Vollmachtgeber *m*, - | principal | mandant, donneur de procuration | mandante, rappresentato | poderdante, otorgante del poder |
| vollstreckbarer Titel | enforceable instrument | titre exécutoire | titolo esecutivo | título ejecutorio |
| Vollstreckungsbescheid *m*, -e | enforceable default summons | avis d'exécution du jugement | decreto esecutivo | notificación de ejecución |
| Vorauskasse | cash in advance | paiement anticipé | pagamento anticipato | pago (por) anticipado |
| Vordruck *m*, -e | (printed) form | formulaire, imprimé | modulo | impreso, formulario |
| Vorgesetzte *m*, -n | boss, supervisor | chef, supérieur | superiore | superior, jefe |
| Vorlage *f*, -n | original | document, original | originale | original |
| vormerken, Auftrag ~ | enter an order | enregistrer une commande | prendere nota di un'ordine | anotar un pedido |
| Vorrat, solange ~ reicht | while stocks last, while supplies last | jusqu'à épuisement des stocks | sino ad esaurimento delle scorte | mientras queden existencias |
| vorsätzlich | wilfully and knowingly | avec intention | intenzionalmente | premeditadamente, con dolo |
| Vorschrift *f*, -en | regulation | consigne, prescription, règlement | regolamento, norma | disposición, regulación |
| Vorsitzende *m*, -en | chairman | président | presidente | presidente |
| Vorstand *m*, ¨-e | managing board | directoire, comité de direction | consiglio di amministrazione | junta directiva |

## W

| | | | | |
|---|---|---|---|---|
| Wandlung *f* | rescission | redhibition, annulation d'un contrat | redibizione | redhibición, rescisión |
| Waren des freien Verkehrs der Gemeinschaft | goods in free circulation within the Community | marchandises de libre circulation au sein de la C.E. | merci in libera circolazione nella Comunità | mercancías de libre circulación dentro de la Comunidad |
| Warengeschäft *n*, -e | mercantile transaction | transaction marchande | operazione commerciale | transacción mercantil |
| Warenumschlag *m* | goods turnover; trading operations | rotation des stocks | rotazione delle merci | movimiento de mercancías; operaciones comerciales |
| Warenzeichen *n*, - | trademark | marque de fabrique, label | marchio di fabbrica | marca de fábrica, marca registrada |
| Weberei *f*, -en | weaving mill | tisserie | fabbrica di tessitura | tejeduría |
| Wechsel *m*, - | bill of exchange | lettre de change, traite | cambiale | letra de cambio |
| Wechselnehmer *m*, - | payee | bénéficiaire d'une traite | beneficiario di una cambiale | tomador de la letra |
| Weitertransport *m* | reforwarding, onward delivery | la poursuite d'acheminement | trasporto | reexpedición |
| Wellpappe *f* | corrugated cardboard | carton ondulé | cartone ondulato | cartón ondulado |
| Werbeagentur *f*, -en | advertising agency | agence de publicité | agenzia pubblicitaria | agencia de publicidad |
| Werbeaktion *f*, -en | publicity campaign | action publicitaire | campagna pubblicitaria | campaña publicitaria |
| Werbebrief *m*, -e | sales letter | lettre publicitaire | lettera pubblicitaria | circular de publicidad, circular de propaganda |
| Werbung *f* | advertising, publicity | publicité | pubblicità | publicidad |

| Deutsch | Englisch | Französisch | Italienisch | Spanisch |
|---|---|---|---|---|
| Werk *n*, -e, | factory | usine, fabrique | stabilimento | factoría, fábrica, planta |
| Werkzeugmaschine *f*, -n | machine tool | machine-outil | macchina utensile | máquina herramienta |
| Wertpapier *n*, -e | security | valeur, titre, effet | titolo | título, valor, título-valor |
| Wettbewerbsfähigkeit *f* | competitiveness | compétitivité | competitività | competitividad, capacidad de competir |
| Wettbewerbsposition *f* | competitive position | positon de la concurrence | posizione competitiva | posición competitiva |
| Widerruf *m* | revocation, cancellation | révocation, rétractation, annulation | revoca | revocación, cancelación |
| widerrufen | revoke, cancel | révoquer, annuler | revocare | revocar, cancelar |
| widerrufliches Akkreditiv | revocable (letter of) credit | lettre de crédit révocable | lettera di credito revocabile | crédito documentario revocable |
| Widerspruch erheben *(gerichtl. Mahnv.)* | defend the claim | protester, faire opposition | fare opposizione | oponerse, presentar objeción |
| wilder Streik | unauthorized strike, wildcat strike | grève spontanée, non autorisée | sciopero selvaggio | huelga salvaje, huelga no autorizada, huelga espontánea |
| Willenserklärung *f*, -en | declaration of intent, act (of a party) | déclaration d'intention | dichiarazione di volontà | declaración de voluntad, acto declaratorio de voluntad |
| Wirtschaftsauskunftei *f*, -en | credit information agency | cabinet de renseignements commerciaux | agenzia d'informazioni commerciali | agencia de informes sobre créditos |
| Wirtschaftsbeziehungen *pl* | economic relations, trade relations | relations commerciales | rapporti economici | relaciones comerciales, relaciones económicas |
| Wohnsitz *m*, -e | place of residence | domicile | residenza | lugar de residencia |
| Wollstoff *m*, -e | woollen material | étoffes en laine | stoffa di lana | tejido de lana |

## Z

| Deutsch | Englisch | Französisch | Italienisch | Spanisch |
|---|---|---|---|---|
| zahlbar stellen *(Wechsel)* | make payable at a bank | domicilier une lettre de change | domiciliare | domiciliar (el pago de la letra) en un banco |
| Zahlung *f*, -en | payment, settlement, remittance | paiement | pagamento | pago, abono |
| ~sanzeige *f*, -n | remittance advice | avis de paiement | avviso di pagamento | notificación de pago |
| ~saufforderung *f*, -en | request for payment | sommation de paiement | richiesta di pagamento | requerimiento de pago |
| ~saufschub *m* | extension, postponement | sursis de paiement | dilazione di pagamento | moratoria; prórroga del pago |
| ~savis *n*, -e | remittance advice | avis de paiement | avviso di pagamento | aviso de pago |
| ~sbedingungen *pl* | terms of payment | conditions de paiement | condizioni di pagamento | condiciones de pago |
| ~serinnerung *f*, -en | reminder | rappel de paiement | lettera di sollecitazione | recordatorio (de pago) |
| ~sfähigkeit *f* | ability to pay, solvency | solvabilité | solvibilità | solvencia |
| ~sregelung *f* | settlement of payment | accord de paiement | regolamento dei pagamenti | regulación del pago |
| ~sverzögerung *f*, -en | delay in payment | retard de paiement | ritardo nel pagamento | demora en el pago, retraso en el pago |

| | | | | |
|---|---|---|---|---|
| | payment | | | |
| ~sweise *f* | manner of payment | modalités de paiement | modalità di pagamento | modo de pago |
| Zeichensatz *m*, ¨-e | character set | symbole, caractère | set di caratteri | conjunto de caracteres |
| Zentralrechner *m*, - | central computer | unité centrale | calcolatore centrale | ordenador central, unidad central |
| ziehen, einen Wechsel per 60 Tage Sicht ~ | draw a bill at 60 days sight | tiré une traite à 60 jours de vue | spiccare una tratta a 60 giorni | girar una letra a 60 días vista |
| Zins *m*, -en | interest | intérêt | interesse | interés |
| Zoll *m*, ¨-e | (import) duty | droits de douane | dazio doganale | derechos de aduana |
| ~abfertigung *f* | customs clearance | passage en douane, dédouanement | sdoganamento | despacho aduanero, trámites aduaneros |
| ~behörde *f*, -n | customs authority | douane | autorità doganale | autoridades aduaneras, administración de aduanas |
| ~formalitäten erfüllen | to complete customs formalities | remplir les formalités de douane | adempiere le formalità doganali | cumplir los trámites aduaneros |
| Zollgebiet *n* | customs territory | le territoire douanier | territorio doganale | área aduanera |
| Zuchtperle *f*, -en | cultured pearl | perle de culture | perla coltivata | perla cultivada |
| zugesicherte Eigenschaft | warranted quality | qualité garantie | proprietà garantita | calidad garantizada |
| Zulieferer *m*, - | (parts) supplier | sous-traitant | fornitore | abastecedor, proveedor |
| zurücktreten, vom Vertrag ~ | rescind a contract | résilier un contrat | recedere dal contratto | rescindir un contrato |
| Zwischenverkauf vorbehalten | subject to being unsold, subject to prior sale | sauf vente *(entre la date d'offre et la date de commande)* | salvo il venduto | salvo venta |